# 7급 배정 한자

## 어문회

| 歌(노래 가) | 同(한가지 동) | 山(메 산) | 外(바깥 외) | 直(곧을 직) |
|---|---|---|---|---|
| 家(집 가) | 登(오를 등) | 算(셈 산) | 右(오른 우) | 川(내 천) |
| 間(사이 간) | 來(올 래) | 三(석 삼) | 月(달 월) | 千(일천 천) |
| 江(강 강) | 力(힘 력) | 上(윗 상) | 有(있을 유) | 天(하늘 천) |
| 車(수레 거) | 老(늙을 로) | 色(빛 색) | 育(기를 육) | 青(푸를 청) |
| 空(빌 공) | 六(여섯 륙) | 生(날 생) | 邑(고을 읍) | 草(풀 초) |
| 工(장인 공) | 里(마을 리) | 西(서녘 서) | 二(두 이) | 寸(마디 촌) |
| 教(가르칠 교) | 林(수풀 림) | 夕(저녁 석) | 人(사람 인) | 村(마을 촌) |
| 校(학교 교) | 立(설 립) | 先(먼저 선) | 日(날 일) | 秋(가을 추) |
| 九(아홉 구) | 萬(일만 만) | 姓(성 성) | 一(한 일) | 春(봄 춘) |
| 口(입 구) | 每(매양 매) | 世(인간 세) | 入(들 입) | 出(날 출) |
| 國(나라 국) | 面(낯 면) | 所(바 소) | 字(글자 자) | 七(일곱 칠) |
| 軍(군사 군) | 命(목숨 명) | 小(작을 소) | 自(스스로 자) | 土(흙 토) |
| 金(쇠 금) | 名(이름 명) | 少(적을 소) | 子(아들 자) | 八(여덟 팔) |
| 記(기록할 기) | 母(어미 모) | 水(물 수) | 長(긴 장) | 便(편할 편) |
| 旗(기 기) | 木(나무 목) | 數(셈 수) | 場(마당 장) | 平(평평할 평) |
| 氣(기운 기) | 文(글월 문) | 手(손 수) | 電(번개 전) | 下(아래 하) |
| 南(남녘 남) | 門(문 문) | 時(때 시) | 前(앞 전) | 夏(여름 하) |
| 男(사내 남) | 問(물을 문) | 市(저자 시) | 全(온전 전) | 學(배울 학) |
| 内(안 내) | 物(물건 물) | 食(밥 식) | 正(바를 정) | 韓(한국 한) |
| 女(계집 녀) | 民(백성 민) | 植(심을 식) | 弟(아우 제) | 漢(한수 한) |
| 年(해 년) | 方(모 방) | 室(집 실) | 祖(할아비 조) | 海(바다 해) |
| 農(농사 농) | 百(일백 백) | 心(마음 심) | 足(발 족) | 兄(형 형) |
| 答(대답 답) | 白(흰 백) | 十(열 십) | 左(왼 좌) | 話(말씀 화) |
| 大(큰 대) | 夫(사나이 부) | 安(편안 안) | 住(살 주) | 火(불 화) |
| 道(길 도) | 父(아비 부) | 語(말씀 어) | 主(주인 주) | 活(살 활) |
| 冬(겨울 동) | 北(북녘 북) | 然(그럴 연) | 中(가운데 중) | 花(꽃 화) |
| 洞(골 동) | 不(아닐 불) | 午(낮 오) | 重(무거울 중) | 孝(효도 효) |
| 東(동녘 동) | 四(넉 사) | 五(다섯 오) | 地(땅 지) | 後(뒤 후) |
| 動(움직일 동) | 事(일 사) | 王(임금 왕) | 紙(종이 지) | 休(쉴 휴) |

## 진흥회, 검정회

| 犬(개 견) | 馬(말 마) | 牛(소 우) | 羊(양 양) | 魚(물고기 어) |
|---|---|---|---|---|
| 己(몸 기) | 玉(구슬 옥) | 石(돌 석) | 耳(귀 이) | 目(눈 목) |

7급

# 한자능력 검정시험

# 한자능력 검정시험

## 7급


저자 강태립(姜泰立)
- 원광대 중어중문학과 졸업
- 공주대학교 교육대학원 중국어전공 교육학 석사
- 전문 한자지도자 연수 강사
- 한국 한자급수검정회 이사
- 한국 한문교육연구원 경기도 본부장
- 다중지능연구소 일산센터장
- 웅산서당 훈장

감수 강태권(康泰權)
- 前) 국민대 중어중문학과 교수

이병관(李炳官)
- 연세대 중어중문학과 졸업
- 문학박사
- 대만 동해대학 중문연구소 주법고(周法高) 교수 문하에서 수학
- 현 공주대학교 중어중문학 교수

# 이 책을 펴내면서

한자능력검정시험이 국가공인(國家工認)을 받은 후 한자 교육에 대한 인식이 달라지고, 한자를 배우고자 하는 사람들이 늘어나는 것도 참으로 다행한 일입니다.

한자를 학습하는 것은 우리말의 뜻을 제대로 알기 위함이며, 학년이 올라갈수록 점점 어려워지는 말들을 쉽게 이해하기 위해서입니다. 한자를 제대로 학습하면 틀림없이 학습에 흥미가 더해질 것입니다. 하나를 배워 열을 알 수 있는 길이 한자에 있습니다. 처음 한자를 학습할 때는 먼저 글자가 만들어지는 과정을 보고 이해한 뒤 써 보는 것이 좋습니다.
「국가공인 한자능력검정시험 7급」은 '갑문 – 금문 – 소전'을 순서대로 배열하여 글자의 변천 과정을 보고 글자의 이미지와 뜻을 쉽게 익히도록 하였습니다. 또한 지루하지 않게 한자와 친해지도록 함을 목표로 삼았습니다.

이 책으로 공부하는 학생들에게 좋은 성과가 있길 바라며, 한문 교육에 앞장서 주시는 어시스트하모니(주) 사장님 이하 편집진에게 감사의 말씀을 전합니다.

– 지은이

# 이 책의 구성과 특징

- 서당 현장 교육을 통해 얻은 가장 효과적인 학습 방법을 토대로 내용을 구성하였습니다.
- 단순 암기가 아닌 원리 위주로 되어 있어 스스로 학습할 수 있습니다.
- 각 단원을 10자씩 비슷한 모양의 한자끼리 묶어 학습 효율을 높였습니다.
- 상위 급수를 대비하여 사자성어를 미리 학습할 수 있게 만들었습니다.
- 한자를 학습하는 데 있어 필요한 기본적인 내용을 부록으로 실었습니다.

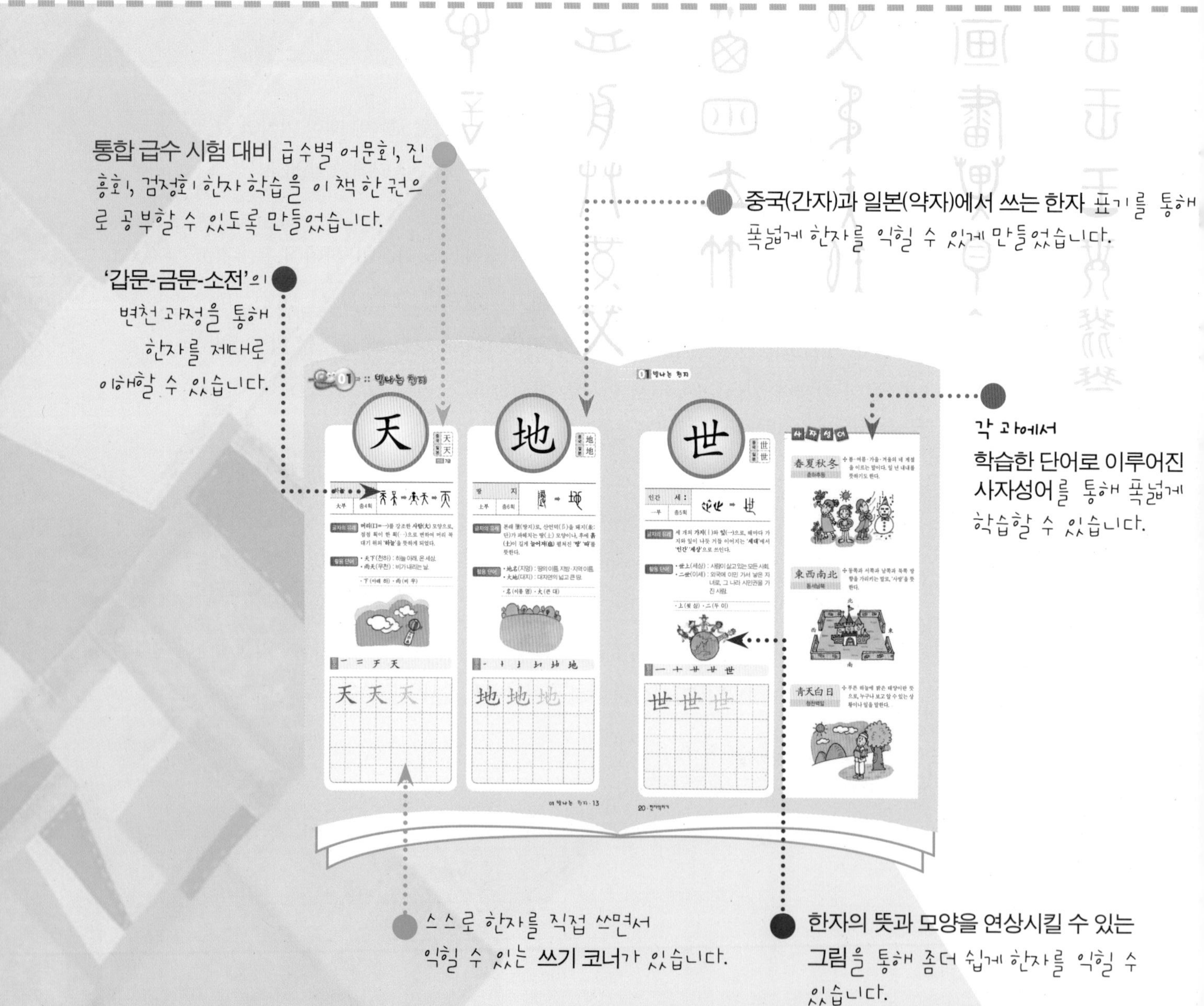

## 확인 학습 문제

확인 학습 문제를 통해 학습한 한자를 다시 한 번 정리, 반복할 수 있습니다.

## 7급 고유 한자 카드

한자 카드를 손에 들고 다니면서 수시로 한자를 익힐 수 있습니다.

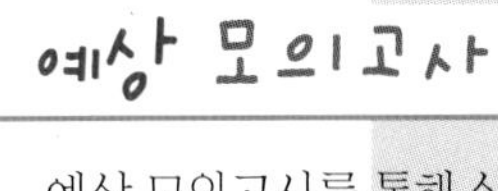

## 예상 모의고사

7급 한자능력검정시험 예상 모의고사

제한시간 50분

1문제 1점 49점 0

다음 漢字語(한자어)의 讀音(독음)을 쓰세요. (1~32)

例(예) : 大小 → 대소

(1) 休紙 ( ) (2) 便安 ( )

(3) 下手 ( ) (4) 平面 ( )

다음 漢字(한자)의 訓(훈)과 音(음)을 쓰세요.

例(예) : 木 → 나무 목

(33) 姓 ( ) (34) 問 (

(35) 方 ( ) (36) 空 (

예상 모의고사를 통해 실제 시험에 철저하게 대비할 수 있습니다.

# 이 책의 차례

# 次例

## 부록

# 한자능력검정시험 안내

## 1 한자능력검정시험이란?

사단법인 한국어문회가 주관하고 한국한자능력검정회가 시행하는 한자능력검정시험은 초·중·고·대학생, 직장인, 주부, 일반인 등을 대상으로 한자의 이해 및 활용 능력을 평가하는 제도입니다.

### 한자능력검정시험의 목적

한자 급수제를 통해 한자의 학습 의욕을 고취시키고, 개인별 한자 능력에 대한 객관적인 급수 부여와 사회적으로 한자 능력이 우수한 인재 양성을 목적으로 합니다.

### 한자능력검정시험의 취지

우리말 중 약 70%는 한자어로 이루어져 있습니다. 따라서, 한자를 알면 우리말을 좀더 쉽게 이해할 수 있을 뿐만 아니라 효과적인 의사 전달을 할 수 있습니다. 한자 교육은 미래에 대한 확실한 투자이며, 정보화 시대를 대응하고 진학·취업 대비를 위한 평생 학습의 하나로 반드시 필요합니다. 그래서 한자 능력을 객관적으로 평가·인정받을 수 있는 길을 마련하여 공공 기관이나 기업체의 채용 시험, 인사 고과 또는 각종 시험 등에 활용할 수 있도록 하는 데 있습니다.

### 한자능력급수 취득자에 대한 혜택

**1 국가 자격 취득자와 동등한 대우와 혜택**

사단법인 한국어문회가 주관하는 검정급수 중 공인급수는 특급·특급Ⅱ·1급·2급·3급·3급Ⅱ이며(특급, 특급Ⅱ는 제 54회부터), 교육급수는 4급·4급Ⅱ·5급·5급Ⅱ·6급·6급Ⅱ·7급·7급Ⅱ·8급입니다.
자격기본법 제 27조에 의거 국가자격 취득자와 동등한 대우 및 혜택을 받습니다.

**2 대학 입학시 다양한 혜택**

2005학년도 대학수학능력시험부터 '漢文'이 선택과목으로 채택되었습니다.
(대입 전형과 관련된 세부사항은 해당 학교 홈페이지, 또는 입학담당부서를 통하여 다시 한 번 확인하여 주시길 바랍니다.)
※ 한국한자능력검정회 홈페이지(www.hanja.re.kr)를 참고하세요.

**3 대학 학점에 반영되거나 졸업시 필요**

자격증 취득을 학점에 반영해 주거나 졸업을 하기 위해서는 반드시 몇 급 이상을 취득하도록 의무화 시킨 대학들도 있습니다.

**4 입사시 유리하게 작용**

(1) 경제 5단체, 신입사원 채용 때 전국한자능력검정시험 응시 권고(3급 응시요건, 3급 이상 가산점)하고 있습니다.
(2) 경기도교육청 유치원, 초등학교, 특수학교(유치원·초등)교사 임용시험 가산점 반영하고 있습니다.

**5** 인사 고과에 반영

육군간부 승진 고과에 반영됩니다.( 대위-대령/군무원 2급-5급 : 3급 이상, 준·부사관/군무원 6급-8급 : 4급 이상)

## 2 한자능력검정시험 응시 방법 및 시험 내용

### 시험 일시

자세한 시험 일정은 한국한자능력검정회 홈페이지(www.hanja.re.kr)에서 확인할 수 있습니다.

### 접수 방법

**1** 방문 접수

(1) 응시 급수 : 모든 급수
(2) 접수처 : 각 고사장 지정 접수처
(3) 접수 방법

| 01 응시급수 선택 | 02 준비물 확인 | 03 원서작성 및 접수 | 04 수험표 확인 |
|---|---|---|---|
| 급수배정을 참고하여, 응시자의 실력에 알맞는 급수를 선택합니다. | 반명함판사진 2매 (3×4cm·무배경·탈모)<br>급수증 수령주소<br>응시자 주민번호<br>응시자 이름(한글·한자)<br>응시료 | 응시원서를 작성한 후, 접수처에 응시료와 함께 접수합니다. | 접수완료 후 받으신 수험표로 수험장소, 수험일시, 응시자를 확인하세요. |

**2** 인터넷 접수

(1) 접수급수 : 모든 급수
(2) 접수처 : www.hangum.re.kr
(3) 접수 방법 : 인터넷접수처 게시

### 접수처

한국한자능력검정회 홈페이지 www.hanja.re.kr에서 전국의 각 지역별 접수처와 응시처를 약도와 함께 안내받으실 수 있습니다.

### 검정료

(1) 창구 접수 검정료는 원서 접수일로부터 마감시까지 해당 접수처 창구에서 받습니다.
(2) 인터넷으로 접수하실 때 검정료 이외의 별도 수수료가 부과되지 않습니다.

| 특급·특급Ⅱ·1급 | 2급·3급·3급Ⅱ | 4급·4급Ⅱ·5급·5급Ⅱ·6급·6급Ⅱ·7급·7급Ⅱ·8급 |
|---|---|---|
| 50,000 | 30,000 | 25,000 |

## 한자능력검정시험 급수 배정

| 급수 | 읽기 | 쓰기 | 수준 및 특성 | 권장 대상 |
|---|---|---|---|---|
| 특급 | 5,978 | 3,500 | 국한혼용 고전을 불편 없이 읽고, 연구할 수 있는 수준 고급<br>(한중 고전 추출한자 도합 5978자, 쓰기 3500자) | 대학생 · 일반인 |
| 특급Ⅱ | 4,918 | 2,355 | 국한혼용 고전을 불편 없이 읽고, 연구할 수 있는 수준 중급<br>(KSX1001 한자 4888자 포함, 전체 4918자, 쓰기 2355자) | 대학생 · 일반인 |
| 1급 | 3,500 | 2,005 | 국한혼용 고전을 불편 없이 읽고, 연구할 수 있는 수준 초급<br>(상용한자+준상용한자 도합 3500자, 쓰기 2005자) | 대학생 · 일반인 |
| 2급 | 2,355 | 1,817 | 상용한자를 활용하는 것은 물론 인명지명용 기초한자 활용 단계<br>(상용한자+인명지명용 한자 도합 2355자, 쓰기 1817자) | 대학생 · 일반인 |
| 3급 | 1,817 | 1,000 | 고급 상용한자 활용의 중급 단계<br>(상용한자 1817자 - 교육부 1800자 모두 포함, 쓰기 1000자) | 고등학생 |
| 3급Ⅱ | 1,500 | 750 | 고급 상용한자 활용의 초급 단계(상용한자 1500자, 쓰기 750자) | 중학생 |
| 4급 | 1,000 | 500 | 중급 상용한자 활용의 고급 단계(상용한자 1000자, 쓰기 500자) | 초등학생 |
| 4급Ⅱ | 750 | 400 | 중급 상용한자 활용의 중급 단계(상용한자 750자, 쓰기 400자) | 초등학생 |
| 5급 | 500 | 300 | 중급 상용한자 활용의 초급 단계(상용한자 500자, 쓰기 300자) | 초등학생 |
| 5급Ⅱ | 400 | 225 | 중급 상용한자 활용의 초급 단계(상용한자 400자, 쓰기 225자) | 초등학생 |
| 6급 | 300 | 150 | 기초 상용한자 활용의 고급 단계(상용한자 300자, 쓰기 150자) | 초등학생 |
| 6급Ⅱ | 225 | 50 | 기초 상용한자 활용의 중급 단계(상용한자 225자, 쓰기 50자) | 초등학생 |
| 7급 | 150 | - | 기초 상용한자 활용의 초급 단계(상용한자 150자) | 초등학생 |
| 7급Ⅱ | 100 | - | 기초 상용한자 활용의 초급 단계(상용한자 100자) | 초등학생 |
| 8급 | 50 | - | 한자 학습 동기 부여를 위한 급수(상용한자 50자) | 초등학생 |

※ 상위 급수 한자는 하위 급수 한자를 모두 포함하고 있습니다.
※ 쓰기 배정 한자는 한두 급수 아래의 읽기 배정 한자이거나 그 범위 내에 있습니다.
※ 초등학생은 4급, 중 · 고등학생은 3급, 대학생은 2급과 1급 취득에 목표를 두고, 학습하시기를 권해 드립니다.

## 한자능력검정시험 문제 유형

1 讀音(독음) : 한자의 소리를 묻는 문제입니다. 독음은 두음 법칙, 속음 현상, 장단음과도 관련이 있습니다.
2 訓音(훈음) : 한자의 뜻과 소리를 동시에 묻는 문제입니다. 특히 대표 훈음을 익히시기 바랍니다.
3 長短音(장단음) : 한자 단어의 첫소리 발음이 길고 짧음을 구분하고 있는가를 묻는 문제입니다. 4급 이상에서만 출제됩니다.
4 反義語/反意語(반의어)·相對語(상대어) : 어떤 글자(단어)와 반대 또는 상대되는 글자(단어)를 알고 있는가를 묻는 문제입니다.
5 完成型(완성형) : 고사성어나 단어의 빈칸을 채우도록 하여 단어와 성어의 이해력 및 조어력을 묻는 문제입니다.
6 部首(부수) : 한자의 부수를 묻는 문제입니다. 부수는 한자의 뜻을 짐작할 수 있는 중요한 부분입니다.
7 同義語/同意語(동의어)·類義語(유의어) : 어떤 글자(단어)와 뜻이 같거나 유사한 글자(단어)를 알고 있는가를 묻는 문제입니다.
8 同音異義語(동음이의어) : 소리는 같고 뜻은 다른 단어를 알고 있는가를 묻는 문제입니다.
9 뜻풀이 : 고사성어나 단어의 뜻을 제대로 알고 있는가를 묻는 문제입니다.
10 略字(약자) : 한자의 획을 줄여서 만든 略字(약자)를 알고 있는가를 묻는 문제입니다.
11 漢字(한자)쓰기 : 제시된 뜻, 소리, 단어 등에 해당하는 한자를 쓸 수 있는가를 확인하는 문제입니다.
12 筆順(필순) : 한 획 한 획의 쓰는 순서를 알고 있는가를 묻는 문제입니다. 글자를 바르게 쓰기 위해 필요합니다.
13 漢文(한문) : 한문 문장을 제시하고 뜻풀이, 독음, 문장의 이해, 한문법의 이해 등을 측정하는 문제입니다.

## 한자능력검정시험 급수별 출제 기준

| 급수 | 특급 | 특급Ⅱ | 1급 | 2급 | 3급 | 3급Ⅱ | 4급 | 4급Ⅱ | 5급 | 5급Ⅱ | 6급 | 6급Ⅱ | 7급 | 7급Ⅱ | 8급 |
|---|---|---|---|---|---|---|---|---|---|---|---|---|---|---|---|
| 讀音(독음) | 45 | 45 | 50 | 45 | 45 | 45 | 32 | 35 | 35 | 35 | 33 | 32 | 32 | 22 | 24 |
| 訓音(훈음) | 27 | 27 | 32 | 27 | 27 | 27 | 22 | 22 | 23 | 23 | 22 | 29 | 30 | 30 | 24 |
| 長短音(장단음) | 10 | 10 | 10 | 5 | 5 | 5 | 3 | 0 | 0 | 0 | 0 | 0 | 0 | 0 | 0 |
| 反義語(반의어) | 10 | 10 | 10 | 10 | 10 | 10 | 3 | 3 | 3 | 3 | 3 | 2 | 2 | 2 | 0 |
| 完成型(완성형) | 10 | 10 | 15 | 10 | 10 | 10 | 5 | 5 | 4 | 4 | 3 | 2 | 2 | 2 | 0 |
| 部首(부수) | 10 | 10 | 10 | 5 | 5 | 5 | 3 | 3 | 0 | 0 | 0 | 0 | 0 | 0 | 0 |
| 同義語(동의어) | 10 | 10 | 10 | 5 | 5 | 5 | 3 | 3 | 3 | 3 | 2 | 0 | 0 | 0 | 0 |
| 同音異義語(동음이의어) | 10 | 10 | 10 | 5 | 5 | 5 | 3 | 3 | 3 | 3 | 2 | 0 | 0 | 0 | 0 |
| 뜻풀이 | 5 | 5 | 10 | 5 | 5 | 5 | 3 | 3 | 3 | 3 | 2 | 2 | 2 | 2 | 0 |
| 略字(약자) | 3 | 3 | 3 | 3 | 3 | 3 | 3 | 3 | 3 | 3 | 0 | 0 | 0 | 0 | 0 |
| 漢字(한자) 쓰기 | 40 | 40 | 40 | 30 | 30 | 30 | 20 | 20 | 20 | 20 | 20 | 10 | 0 | 0 | 0 |
| 筆順(필순) | 0 | 0 | 0 | 0 | 0 | 0 | 0 | 0 | 3 | 3 | 3 | 3 | 2 | 2 | 2 |
| 漢文(한문) | 20 | 20 | 0 | 0 | 0 | 0 | 0 | 0 | 0 | 0 | 0 | 0 | 0 | 0 | 0 |
| 출제 문항수 | 200 | 200 | 200 | 150 | 150 | 150 | 100 | 100 | 100 | 100 | 90 | 80 | 70 | 60 | 50 |

※ 출제 기준표는 기본 지침 자료로서, 출제자의 의도에 따라 차이가 있을 수 있습니다.

## 한자능력검정시험 시험 시간과 합격 기준

### 1 시험 시간

| 특급·특급Ⅱ | 1급 | 2급·3급·3급Ⅱ | 4급·4급Ⅱ·5급·5급Ⅱ·6급·6급Ⅱ·7급·7급Ⅱ·8급 |
|---|---|---|---|
| 100분 | 90분 | 60분 | 50분 |

### 2 합격 기준

| 급수 | 특급·특급Ⅱ·1급 | 2급·3급·3급Ⅱ | 4급·4급Ⅱ·5급·5급Ⅱ | 6급 | 6급Ⅱ | 7급 | 7급Ⅱ | 8급 |
|---|---|---|---|---|---|---|---|---|
| 출제 문항수 | 200 | 150 | 100 | 90 | 80 | 70 | 60 | 50 |
| 합격 문항수 | 160 | 105 | 70 | 63 | 56 | 49 | 42 | 35 |

※ 특급, 특급Ⅱ, 1급은 출제 문항수의 80% 이상, 2급~8급은 70% 이상 득점하면 합격입니다.
※ 1문항 당 1점으로 급수별 만점은 출제 문항수이며, 백분율 환산 점수를 사용하지 않습니다.
※ 합격 발표시 제공되는 점수는 응시 급수의 총 출제 문항수와 합격자의 득점 문항수입니다.

漢字
한자 익히기
01 빛나는 천지
02 아름다운 자연
03 소중한 사람
04 사랑하는 가족
05 자랑스런 국가
06 정확한 방향
07 행복한 교육
08 재미있는 수
09 즐거운 대화
10 신나는 활동
11 진흥회, 검정회 추가 한자 익히기

| 중국 | 天 |
|---|---|
| 일본 | 天 |

진흥 7급

| 하늘 | 천 |
|---|---|
| 大부 | 총4획 |

**글자의 유래** **머리(口=一)**를 강조한 **사람(大)** 모양으로, 점점 획이 한 획(一)으로 변하여 머리 꼭대기 위의 **'하늘'**을 뜻하게 되었다.

**활용 단어**
- 天下(천하) : 하늘 아래. 온 세상.
- 雨天(우천) : 비가 내리는 날.

・下(아래 하) ・雨(비 우)

필순 一 二 チ 天

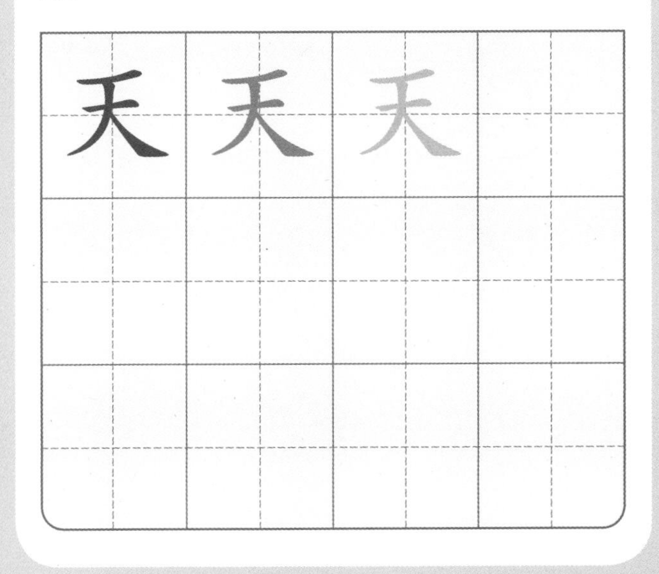

| 중국 | 地 |
|---|---|
| 일본 | 地 |

| 땅 | 지 |
|---|---|
| 土부 | 총6획 |

**글자의 유래** 본래 墬(땅지)로, 산언덕(阝)을 돼지(豕:단)가 파헤치는 땅(土) 모양이나, 후에 **흙(土)**이 길게 **늘어져(也)** 펼쳐진 **'땅' '따'**를 뜻한다.

**활용 단어**
- 地名(지명) : 땅의 이름. 지방·지역 이름.
- 大地(대지) : 대자연의 넓고 큰 땅.

・名(이름 명) ・大(큰 대)

필순 - ‡ 土 圠 坤 地

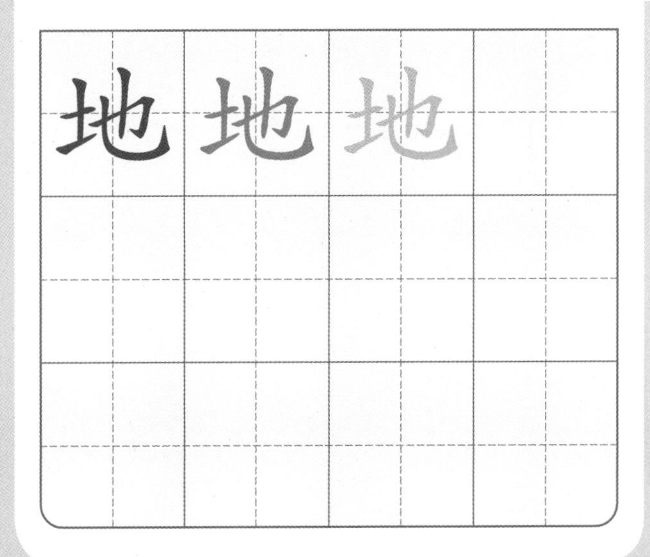

| 중국 | 春 |
|---|---|
| 일본 | 春 |

| 봄 | 춘 | 篆文 → 篆文 → 篆文 |
|---|---|---|
| 日부 | 총9획 | |

**글자의 유래** 풀(艹) 싹(屯)이 무성해(𡗗)지는 햇볕(日)이 따뜻한 '봄'을 뜻한다.
*참고 : 屯(싹날 둔)

**활용 단어**
• 春花(춘화) : 봄철에 피는 꽃.
• 青春(청춘) : 스무 살 안팎의 젊은 나이.

• 花(꽃 화) • 青(푸를 청)

필순 一 二 三 夫 夫 夫 春 春 春

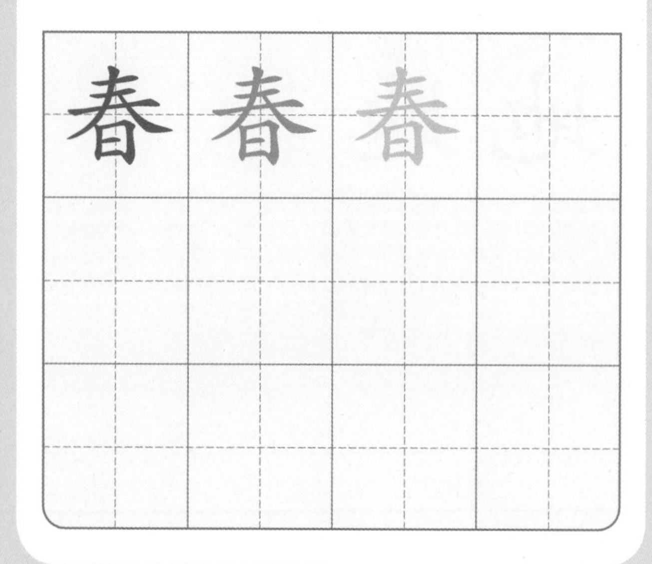

| 중국 | 夏 |
|---|---|
| 일본 | 夏 |

| 여름 | 하ː | 篆文 → 篆文 |
|---|---|---|
| 夂부 | 총10획 | |

**글자의 유래** 더운 지방의 머리(頁)와 발(夂)을 드러낸 사람 모양에서, 더운 '여름'을 뜻한다.

**활용 단어**
• 立夏(입하) : 여름의 시작.
• 夏衣(하의) : 여름철에 입는 옷.

• 立(설 립) • 衣(옷 의)

필순 一 𠂉 丆 丙 丙 百 百 頁 夏 夏

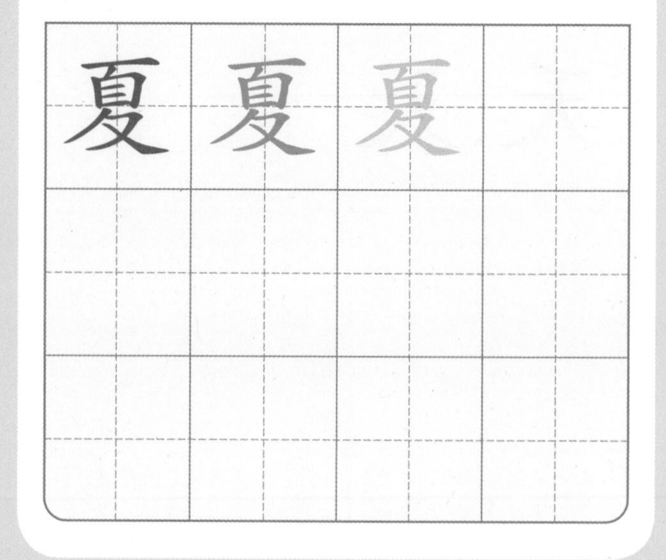

| 중국 | 秋 |
|---|---|
| 일본 | 秋 |

| 가을 추 | |  |
|---|---|---|
| 禾부 | 총9획 | |

**글자의 유래** 가을에 **벼(禾)** 논에 **불(火)**을 피워 벼를 갉아먹던 **메뚜기(龜)**를 박멸하던 데서 **'가을'**을 뜻한다.

**활용 단어**
- 立秋(입추) : 가을의 시작.
- 秋江(추강) : 가을 강.

· 禾(벼 화) · 立(설 립) · 江(강 강)

**필순** ㇒ 二 千 禾 禾 禾 禾' 秒 秋

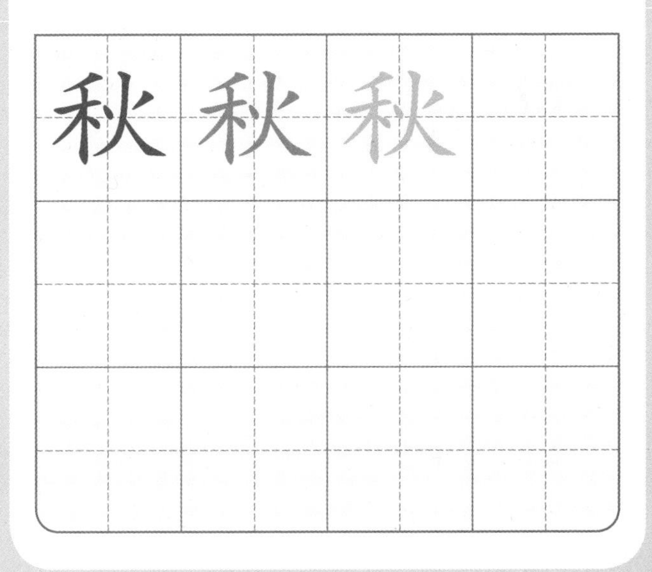

| 중국 | 冬 |
|---|---|
| 일본 | 冬 |

| 겨울 동(ː) | |  |
|---|---|---|
| 冫부 | 총5획 | |

**글자의 유래** 실의 양 **끝** 모양으로, 계절의 맨 끝에 **뒤쳐오는(夊)** 꽁꽁 **어는(冫)** **'겨울'**을 뜻한다.

**활용 단어**
- 三冬(삼동) : 겨울의 석 달.
- 冬月(동월) : 겨울밤 달.

· 三(석 삼) · 月(달 월)

**필순** ノ ク 夂 冬 冬

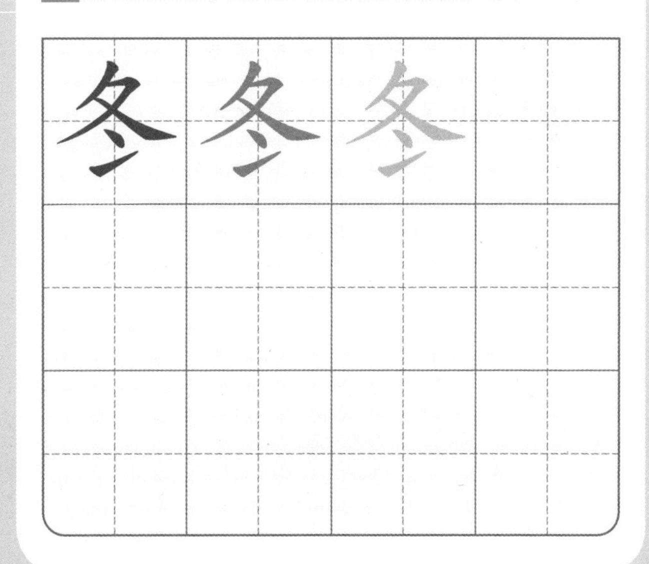

| 중국 | 东 |
| --- | --- |
| 일본 | 東 |

검정 8급

| 동녘 동 | | |
| --- | --- | --- |
| 木부 | 총8획 | 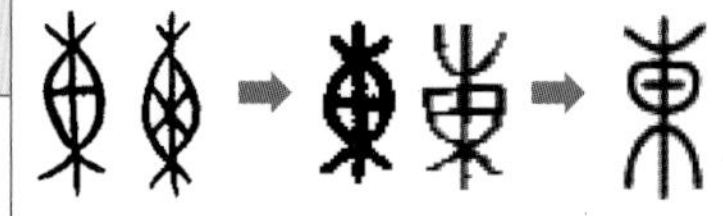 |

**글자의 유래** 양 끝을 묶은 **자루 모양**(𣎵)으로 '자루에 담긴 물건'이 본뜻이나, 후에 '**동쪽**'으로 쓰이면서 **해**(日)가 떠오르다 **나무**(木)에 걸린 모습으로 해석하기도 한다.

**활용 단어**
- 東門(동문) : 동쪽으로 난 문.
- 東方(동방) : 동쪽. 동쪽 지방.

· 門(문 문) · 方(모 방)

필순 

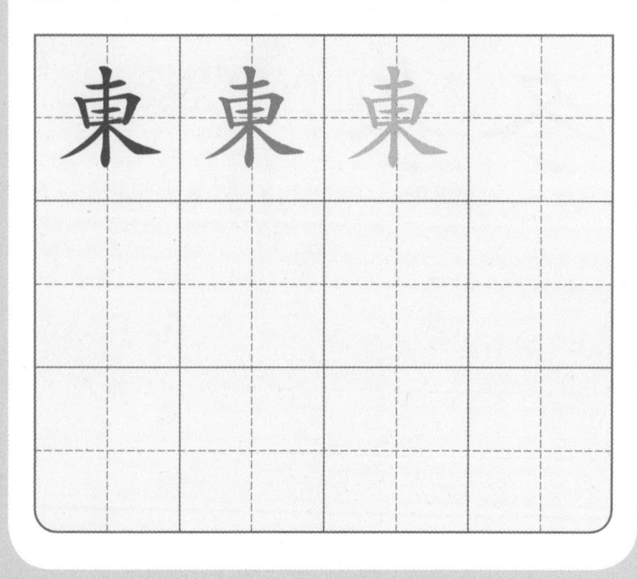

| 중국 | 西 |
| --- | --- |
| 일본 | 西 |

검정 8급

| 서녘 서 | | |
| --- | --- | --- |
| 襾부 | 총6획 | 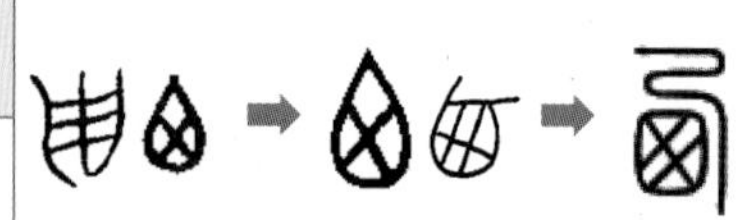 |

**글자의 유래** 대소쿠리나 **새둥지 모양**(𠧧)으로, 서쪽인 '**서녘**' '**서쪽**'으로 쓰인다. 해가 서산으로 기울 때 새가 새집 위에 깃든다 하여 '**서쪽**'으로 썼다고도 한다.

**활용 단어**
- 西天(서천) : 서쪽 하늘.
- 西海(서해) : 서쪽에 있는 바다.

· 天(하늘 천) · 海(바다 해)

필순 一 丆 万 丙 襾 西

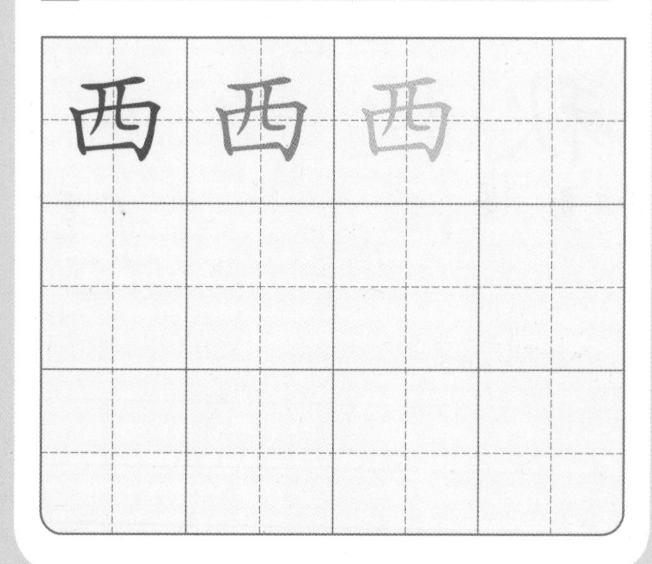

| 중국 | 南 |
|---|---|
| 일본 | 南 |

진흥 7급
검정 8급

| 남녘 | 남 |
|---|---|
| 十부 | 총9획 |

**글자의 유래** 연주할 때 언제나 남쪽에 두던 옛날의 **악기**(⿱·⿱) 모양에서 **'남쪽'**을 뜻한다.

**활용 단어**
- 南海(남해) : 남쪽에 있는 바다.
- 南大門(남대문) : 서울에 있는 숭례문(崇禮門)의 다른 이름.

· 門(문 문) · 崇(높을 숭) · 禮(예도 례)

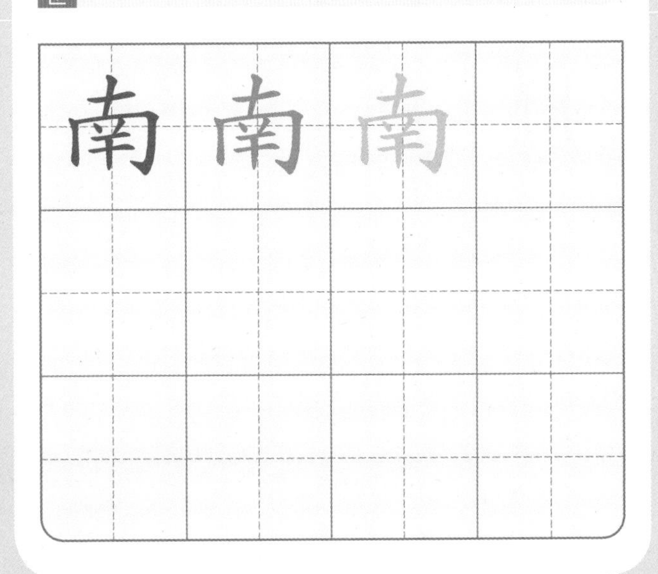

필순 一 十 ㄏ 冂 冂 冇 冇 南 南

南 南 南

| 중국 | 北 |
|---|---|
| 일본 | 北 |

검정 8급

| 북녘 달아날 | 북 배 |
|---|---|
| 匕부 | 총5획 |

**글자의 유래** **두 사람**(⿰)이 서로 등지고 앉아있는 모양으로, 해를 등진 **'북쪽'**이나 **'달아남'**을 뜻한다. **'달아나다'**로 쓰일 때는 **'배'**로 읽는다.

**활용 단어**
- 北韓(북한) : 휴전선 이북의 한국.
- 北海(북해) : 북쪽의 바다.

· 韓(한국 한) · 海(바다 해)

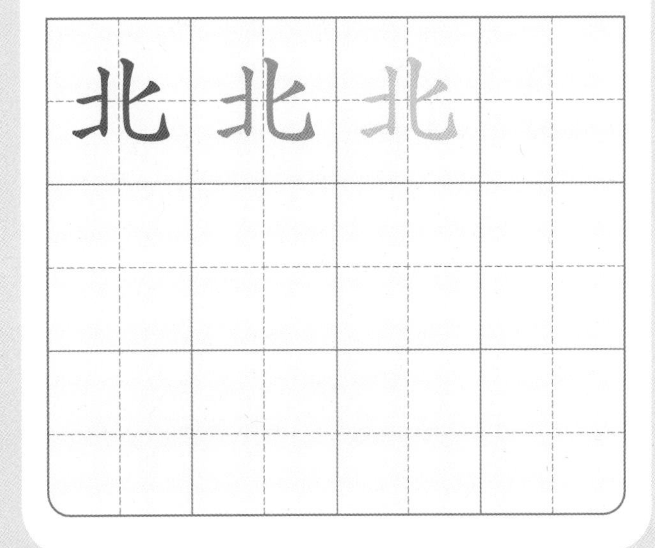

필순 丨 ㅓ 爿 北 北

北 北 北

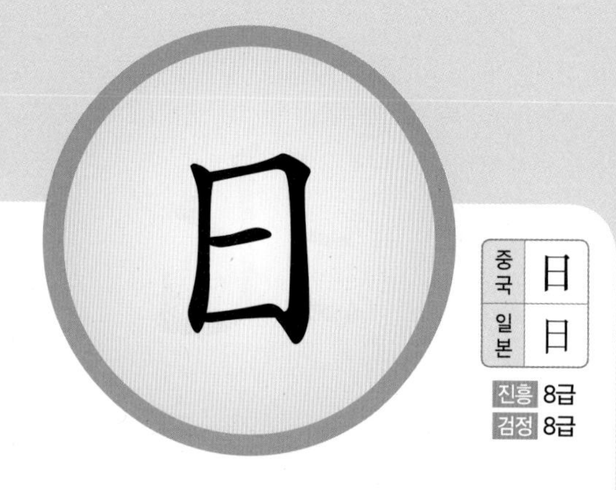

| 중국 | 日 |
|---|---|
| 일본 | 日 |

진흥 8급
검정 8급

| 날 일 | |
|---|---|
| 日부 | 총4획 |

글자의 유래 밝은 **태양**(⊙)의 모양으로, **'해' '날' '시간'**과 관계있다. 납작한 모양의 曰(말할왈)과 혼동하기 쉽다.

활용 단어
- 日記(일기) : 매일 적은 개인의 기록.
- 每日(매일) : 그날그날.

• 記(기록할 기) • 每(매양 매)

필순 丨 冂 日 日

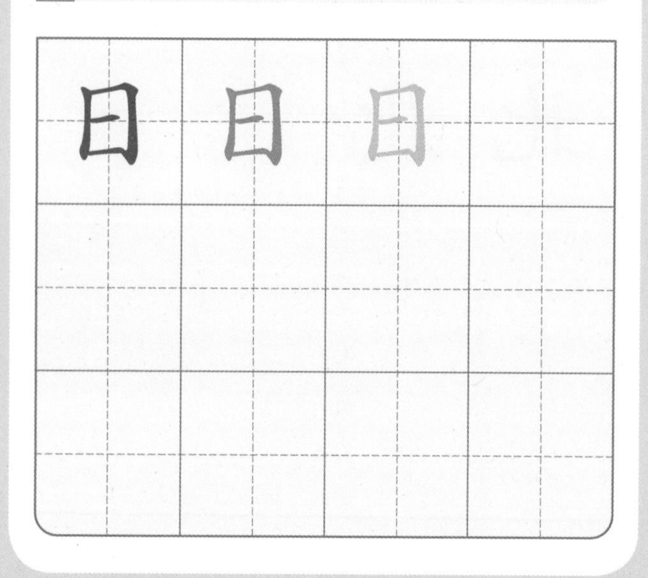

| 중국 | 月 |
|---|---|
| 일본 | 月 |

진흥 8급
검정 8급

| 달 월 | |
|---|---|
| 月부 | 총4획 |

글자의 유래 하늘에 뜨는 밝은 초승달 모양의 둥글지 않은 **달**(D) 모습을 나타낸 글자로 **'달'**을 뜻한다. 고기육(肉)의 변형인 육(月 : 육달월)은 주로 '신체부위'를 나타낸다.

활용 단어
- 月出(월출) : 달이 떠오름.
- 月色(월색) : 달빛.

• 出(날 출) • 色(빛 색)

필순 丿 刀 月 月

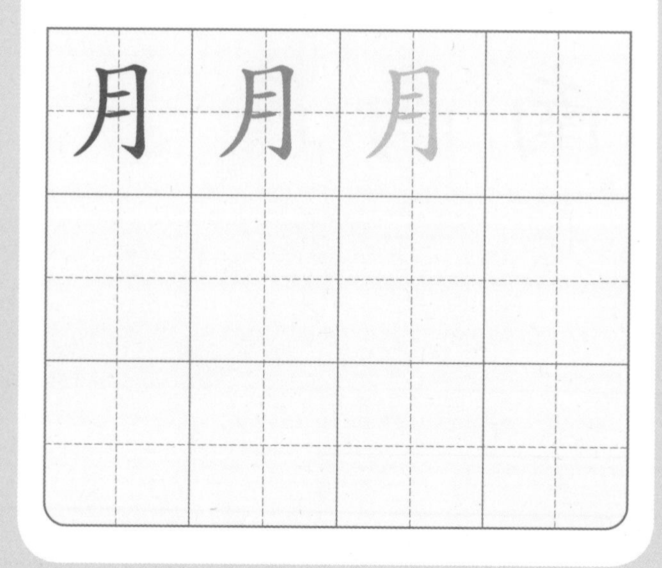

| 중국 | 年 |
| --- | --- |
| 일본 | 年 |

검정 7급

| 해 년 | |
| --- | --- |
| 干부 | 총6획 |

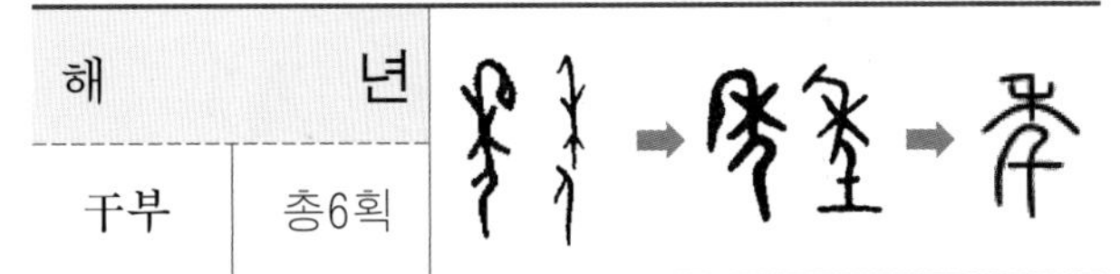

**글자의 유래** **벼(禾)**를 짊어진 **사람(人=千)**인 秊**(해 년)**자가 변형된 글자로, 한 해 벼농사가 끝남에서 한 **'해'**를 나타낸다.

**활용 단어**
- 年上(연상) : 나이가 많음.
- 老年(노년) : 늙은 나이.

• 上(윗 상) • 老(늙을 로)

필순 丿 𠂉 𠂉 𠂉 𠂉 年

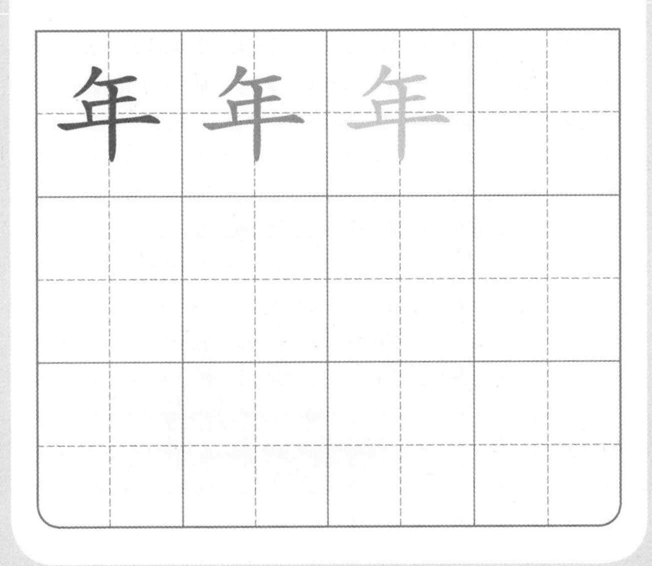

| 중국 | 午 |
| --- | --- |
| 일본 | 午 |

| 낮 오ː | |
| --- | --- |
| 十부 | 총4획 |

**글자의 유래** **절굿공이**(杵 : 공이 저) 모양으로, 해시계에 쓰이는 그림자 바늘과 비슷해 **'낮'**을 뜻한다.

**활용 단어**
- 午前(오전) : 밤 12시부터 낮 12시까지.
- 正午(정오) : 낮 12시.

• 前(앞 전) • 正(바를 정)

필순 丿 𠂉 𠂉 午

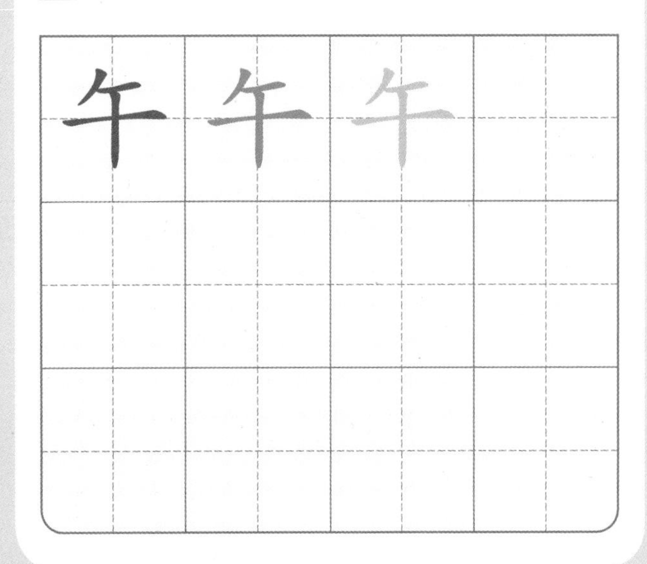

| 중국 | 世 |
|---|---|
| 일본 | 世 |

| 인간 | 세 ː | |
|---|---|---|
| 一부 | 총5획 | |

글자의 유래 세 개의 **가지**(丨)와 **잎**(一)으로, 해마다 가지와 잎이 나듯 거듭 이어지는 '**세대**'에서 '**인간**' '**세상**'으로 쓰인다.

활용 단어
- 世上(세상) : 사람이 살고있는 모든 사회.
- 二世(이세) : 외국에 이민 가서 낳은 자녀로, 그 나라 시민권을 가진 사람.

· 上(윗 상) · 二(두 이)

필순 一 十 廾 廿 世

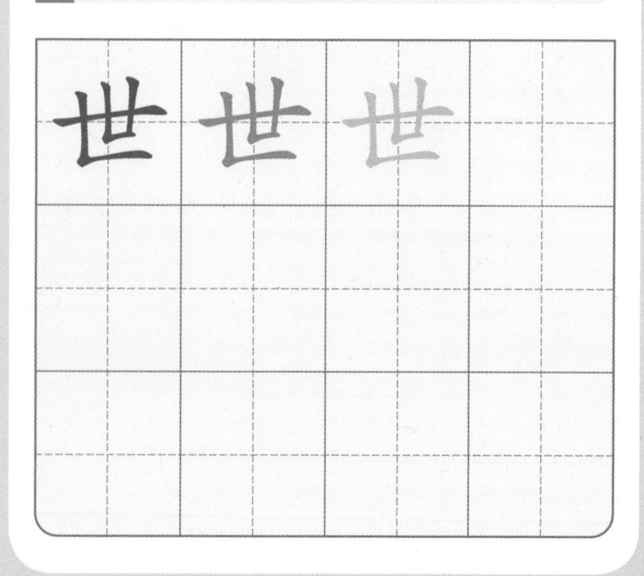


## 사자성어

**春夏秋冬** 춘하추동

봄·여름·가을·겨울의 네 계절을 이르는 말이다. 일 년 내내를 뜻하기도 한다.

**東西南北** 동서남북

동쪽과 서쪽과 남쪽과 북쪽 방향을 가리키는 말로, '사방'을 뜻한다.

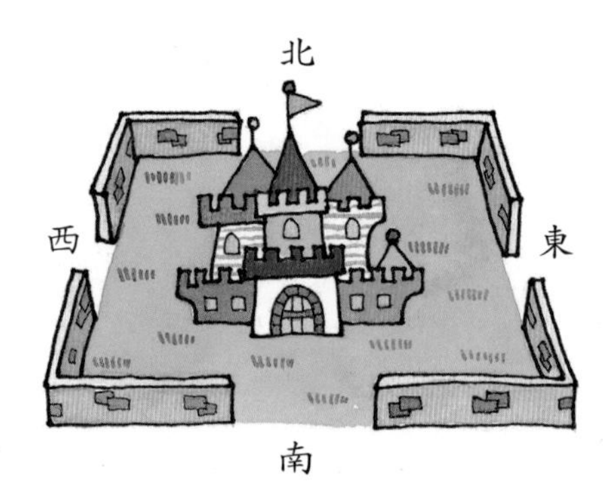


**青天白日** 청천백일

푸른 하늘에 밝은 태양이란 뜻으로, 누구나 보고 알 수 있는 상황이나 일을 말한다.

# 확인 학습 문제

**1** 다음 漢字(한자)의 訓(훈)과 音(음)을 쓰세요.

보기 音 [ 소리 음 ]

(1) 天 [ ]　(2) 地 [ ]　(3) 春 [ ]

(4) 夏 [ ]　(5) 秋 [ ]　(6) 冬 [ ]

(7) 東 [ ]　(8) 西 [ ]　(9) 南 [ ]

(10) 北 [ ]　(11) 日 [ ]　(12) 月 [ ]

(13) 年 [ ]　(14) 午 [ ]　(15) 世 [ ]

**2** 다음 漢字語(한자어)의 讀音(독음)을 쓰세요.

(1) 天下 [ ]　(2) 地名 [ ]　(3) 青春 [ ]

(4) 夏衣 [ ]　(5) 秋江 [ ]　(6) 三冬 [ ]

(7) 東門 [ ]　(8) 西海 [ ]　(9) 南門 [ ]

(10) 北韓 [ ]　(11) 日記 [ ]　(12) 月色 [ ]

(13) 年上 [ ]　(14) 正午 [ ]　(15) 二世 [ ]

**3** 다음 漢字語(한자어)의 뜻을 쓰세요.

(1) 地名 : (　　　　　　　　　　)

(2) 夏衣 : (　　　　　　　　　　)

(3) 日記 : (　　　　　　　　　　)

**4** 다음 訓(훈)과 音(음)에 맞는 漢字(한자)를 例(예)에서 찾아 그 기호를 쓰세요.

| 例(예) | | | | |
|---|---|---|---|---|
| | ㉠ 地 | ㉡ 夏 | ㉢ 冬 | ㉣ 西 |
| | ㉤ 南 | ㉥ 月 | ㉦ 年 | ㉧ 世 |

(1) 겨울 동 [ ]　　(2) 달 월 [ ]

(3) 여름 하 [ ]　　(4) 인간 세 [ ]

(5) 땅 지 [ ]　　(6) 서녘 서 [ ]

(7) 남녘 남 [ ]　　(8) 해 년 [ ]

**5** 다음 漢字(한자)와 상대·반대되는 漢字(한자)를 例(예)에서 찾아 그 기호를 쓰세요.

| 例(예) | ㉠ 月 | ㉡ 北 | ㉢ 冬 | ㉣ 地 |
|---|---|---|---|---|

(1) 南 ⟷ [ ]　　(2) 天 ⟷ [ ]

(3) 日 ⟷ [ ]　　(4) 夏 ⟷ [ ]

**6** 다음(　　) 속에 알맞은 漢字(한자)를 例(예)에서 찾아 그 기호를 쓰세요.

| 例(예) | ㉠ 西 | ㉡ 出 | ㉢ 下 | ㉣ 東 |
|---|---|---|---|---|

(1) 天(　　) : 하늘 아래. 온 세상.

(2) 月(　　) : 달이 떠오름.

(3) (　　)門 : 동쪽으로 난 문.

(4) (　　)海 : 서쪽에 있는 바다.

진흥 8급
검정 7급

| 메 | 산 |
| --- | --- |
| 山부 | 총3획 |

**글자의 유래** 세 개의 산봉우리가 뚜렷한 '**산**'(山)을 뜻한다. 산의 이름이나 산과 관련한 지명에 많이 쓰인다.

**활용 단어**
- 登山(등산) : 산에 오름.
- 南山(남산) : 남쪽에 있는 산.

· 登(오를 등) · 南(남녘 남)

**필순** 丨 山 山

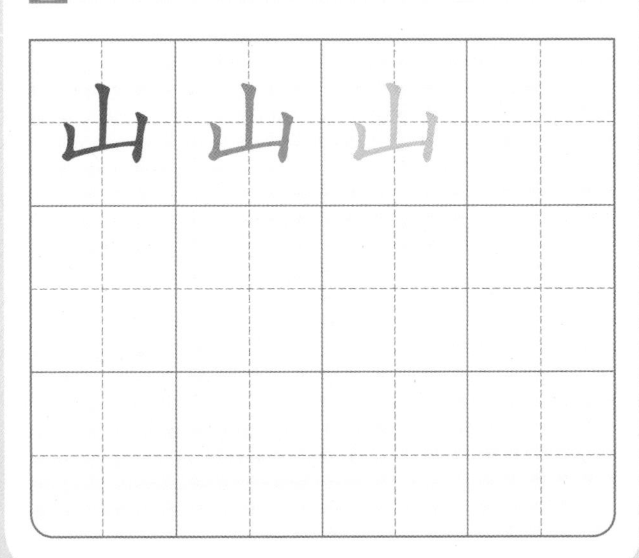


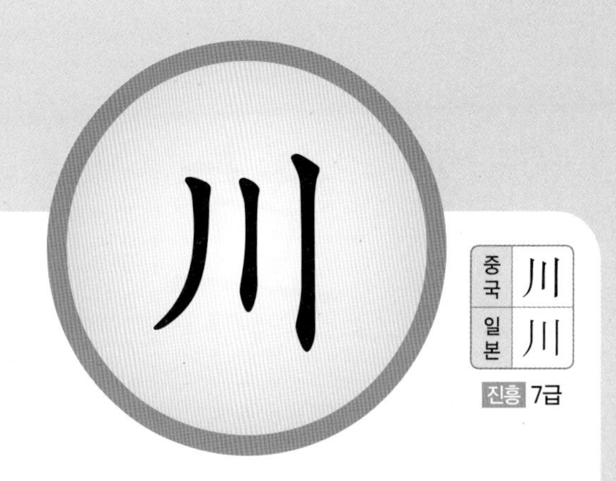


진흥 7급

| 내 | 천 |
| --- | --- |
| 巛부 | 총3획 |

**글자의 유래** **양쪽 기슭**(巛) 사이를 흐르는 **물줄기**(く)로 '**내**'를 뜻한다.

**활용 단어**
- 大川(대천) : 큰 내. 이름난 내.
- 山川(산천) : 산과 내. 자연.

· 大(큰 대) · 山(메 산)

**필순** 丿 川 川

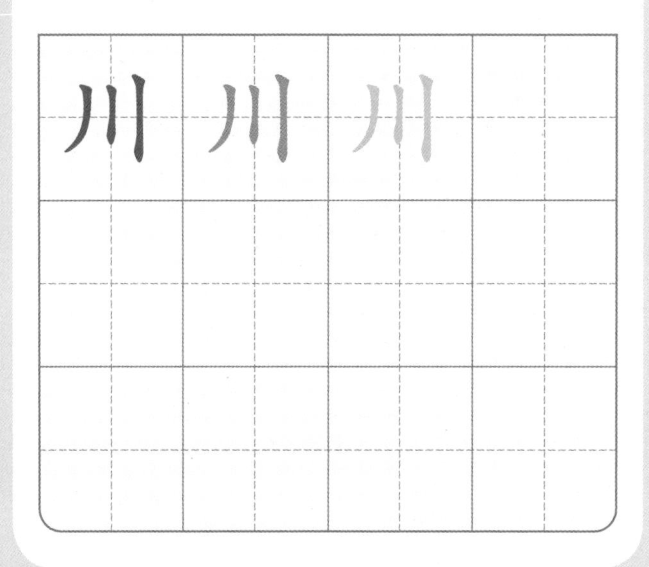

| 중국 | 草 |
|---|---|
| 일본 | 草 |

| 풀 초 | |
|---|---|
| 艸부 | 총10획 |

글자의 유래: **풀**(艹)이 봄에 **일찍**(早) 돋아나는 데서 **'풀'**을 뜻한다.

활용 단어
- 草食(초식) : 푸성귀뿐인 음식.
- 草木(초목) : 풀과 나무.

· 食(밥 식) · 木(나무 목)

필순: 丶 亠 艹 艹 艹 芇 苩 苜 萛 草

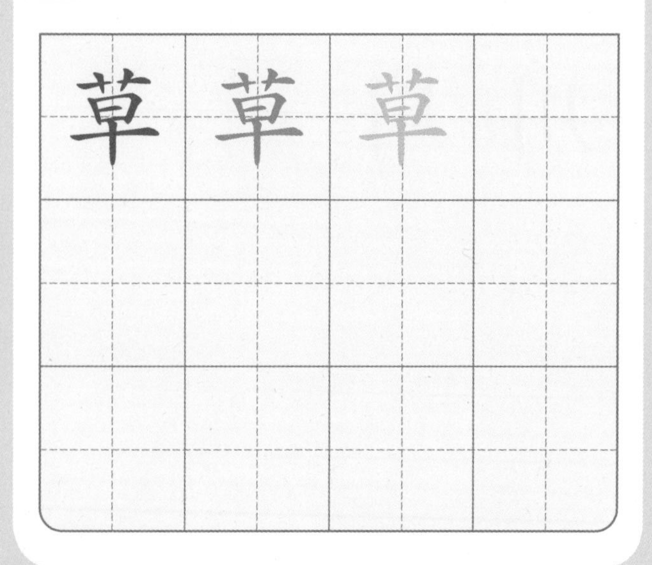

| 중국 | 木 |
|---|---|
| 일본 | 木 |

진흥 8급
검정 8급

| 나무 목 | |
|---|---|
| 木부 | 총4획 |

글자의 유래: 나무의 가지와 뿌리를 나타낸 글자로 **'나무'**를 뜻한다. 나무 종류나 나무로 만든 도구를 나타낸다.

활용 단어
- 木馬(목마) : 나무로 만든 장난감 말.
- 木手(목수) : 나무를 다루는 일을 업으로 하는 사람.

· 材(재목 재) · 馬(말 마) · 手(손 수)

필순: 一 十 才 木

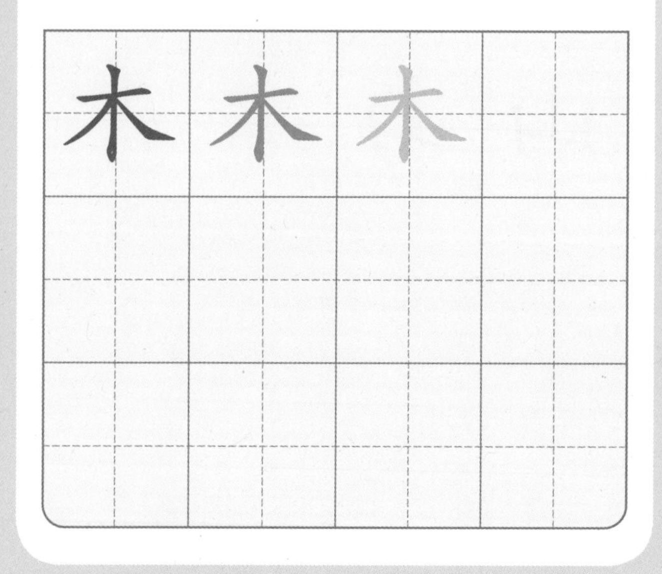

| 중국 | 江 |
| --- | --- |
| 일본 | 江 |

진흥 7급
검정 7급

| 강 | 강 |
| --- | --- |
| 水부 | 총6획 |

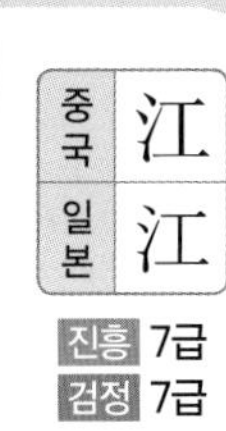

**글자의 유래** 물(氵)이 흘러 **만들어진(工)** '**강**'으로, 중국 '**장강(長江)**'을 뜻하나 지금은 일반 모든 '**강**'을 뜻하기도 한다.

**활용 단어**
- 江山(강산) : 강과 산. 자연 경치를 말함.
- 江村(강촌) : 강가의 마을.

• 長(긴 장) • 山(메 산) • 村(마을 촌)

필순 丶 冫 氵 氵 汀 江

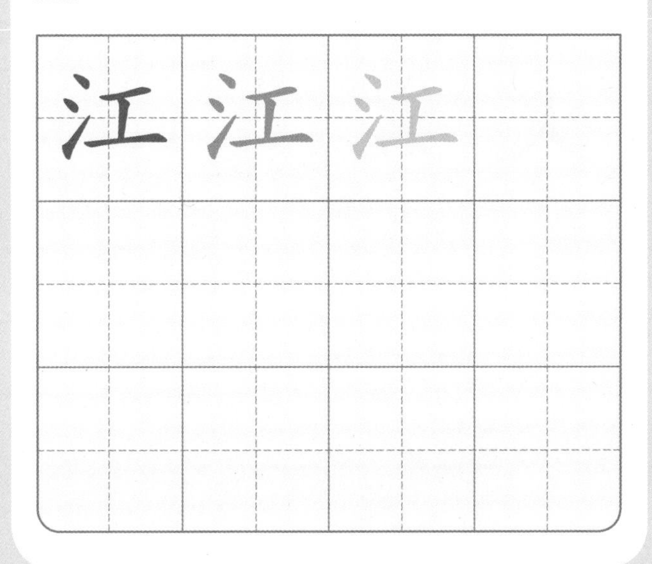

| 중국 | 海 |
| --- | --- |
| 일본 | 海 |

| 바다 | 해ː |
| --- | --- |
| 水부 | 총10획 |

**글자의 유래** 큰 **물(氵)**로 **매양(每)** 변치 않는 '**바다**', 육지와 가까운 '**바다**'를 뜻한다.

**활용 단어**
- 東海(동해) : 동쪽 바다.
- 海女(해녀) : 바다 속의 해산물 채취를 업으로 하는 여자.

• 東(동녘 동) • 女(계집 녀)

필순 丶 冫 氵 氵 氵 汇 海 海 海 海

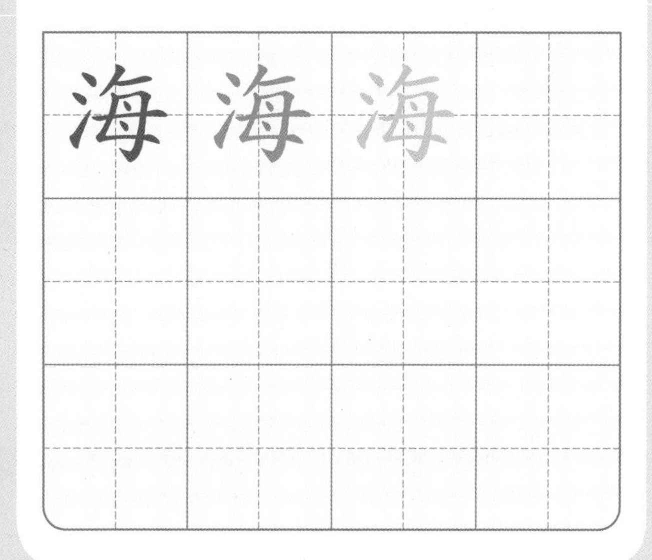

| 중국 | 水 |
|---|---|
| 일본 | 水 |

진흥 8급
검정 8급

| 물 수 | | 𝍫 → 𝍫 → 𝍫 |
|---|---|---|
| 水부 | 총4획 | |

**글자의 유래** '**물**'이 흐르는 **모양**(𝍫)으로 '**강 이름**'이나 '**물**'과 관계있는 한자에 쓰이며, 변으로 쓰일 때는 氵(삼 수)가 된다.

**활용 단어**
- 水門(수문) : 물의 양을 조절하는 문.
- 水平(수평) : 잔잔한 물같이 평평한 모양.

• 門(문 문) • 平(평평할 평)

필순 亅 刁 水 水

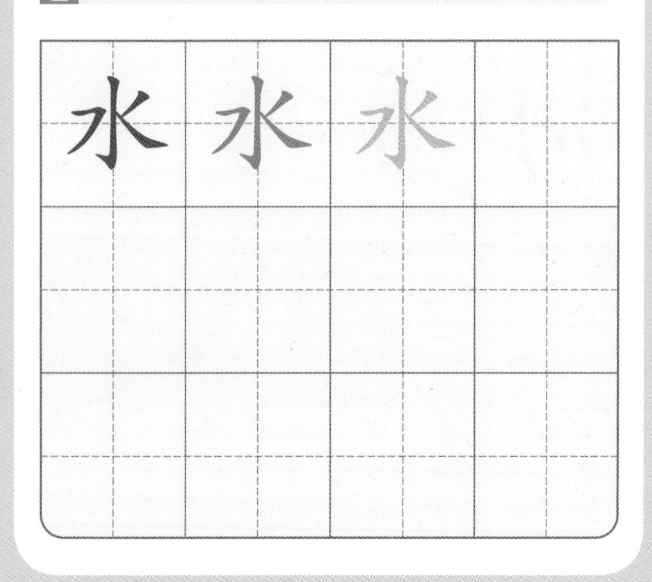

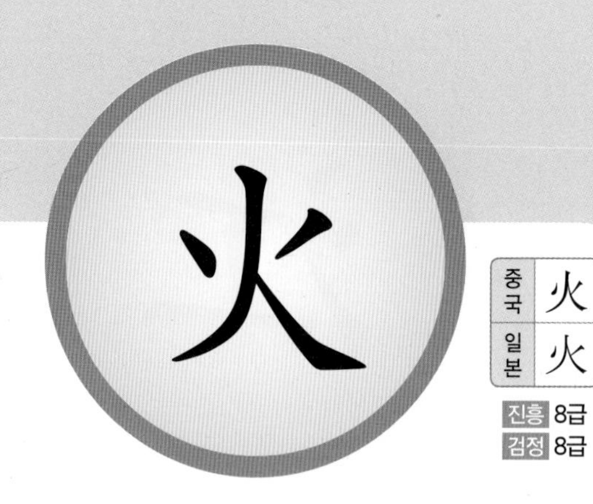

| 중국 | 火 |
|---|---|
| 일본 | 火 |

진흥 8급
검정 8급

| 불 화(ː) | | 𝍫 → 𝍫 → 火 |
|---|---|---|
| 火부 | 총4획 | |

**글자의 유래** 불이 타오르는 모습(𝍫·𝍫·𝍫)으로 '**불**'을 뜻한다. 글자 아래에 쓰일 때는 '灬'로 쓴다.

**활용 단어**
- 火力(화력) : 불의 힘. 총포의 위력.
- 火山(화산) : 땅 속의 마그마가 나와 이루어진 산.

• 力(힘 력) • 山(메 산)

필순 丶 丷 少 火

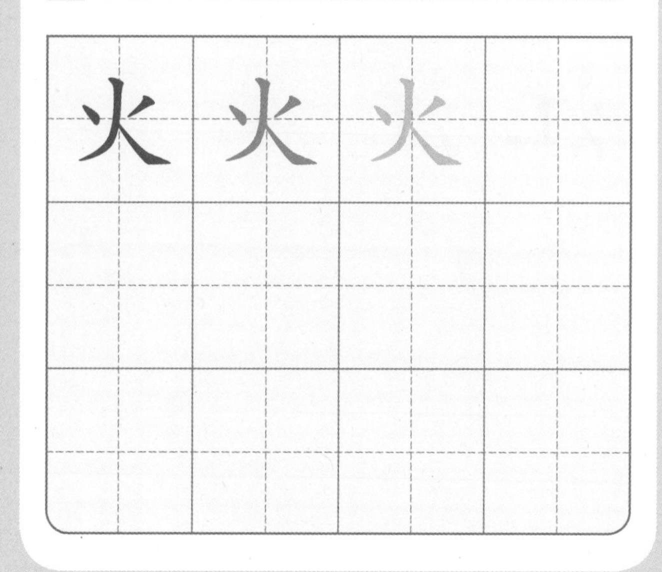

| 중국 | 夕 |
|---|---|
| 일본 | 夕 |

| 저녁 석 | |
|---|---|
| 夕부 | 총3획 |

글자의 유래 달(☾)을 보고 만든 글자로 '**저녁**'이나 '**밤**'을 뜻한다.

활용 단어
- 秋夕(추석) : 음력 8월 15일. 한가위.
- 七夕(칠석) : 음력 7월 7일. 견우와 직녀가 오작교에서 만난다는 날.

• 秋(가을 추) • 七(일곱 칠)

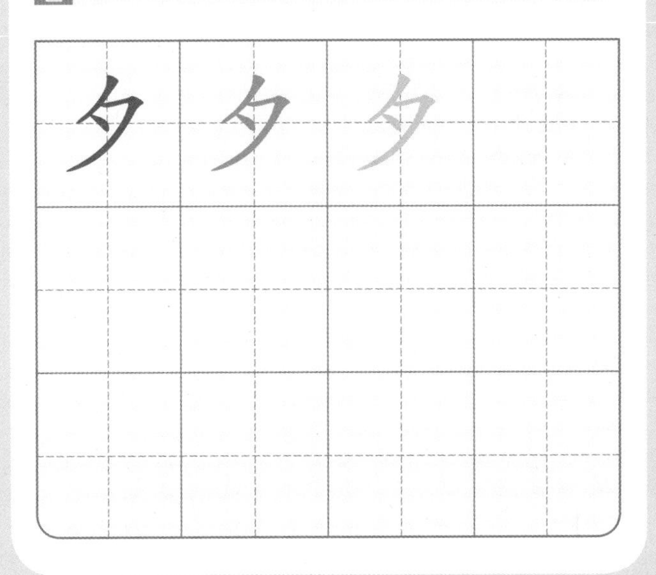

필순 ノ ク 夕

夕 夕 夕

| 중국 | 农 |
|---|---|
| 일본 | 農 |

| 농사 농 | |
|---|---|
| 辰부 | 총13획 |

글자의 유래 숲 **밭(林+田=曲)**에서 **조개껍질(辰)**을 농기구 삼아 들고 '**농사**'함을 뜻한다.

활용 단어
- 農村(농촌) : 농업이 주된 생업인 마을.
- 農土(농토) : 농사에 쓰이는 땅.

• 村(마을 촌) • 土(흙 토)

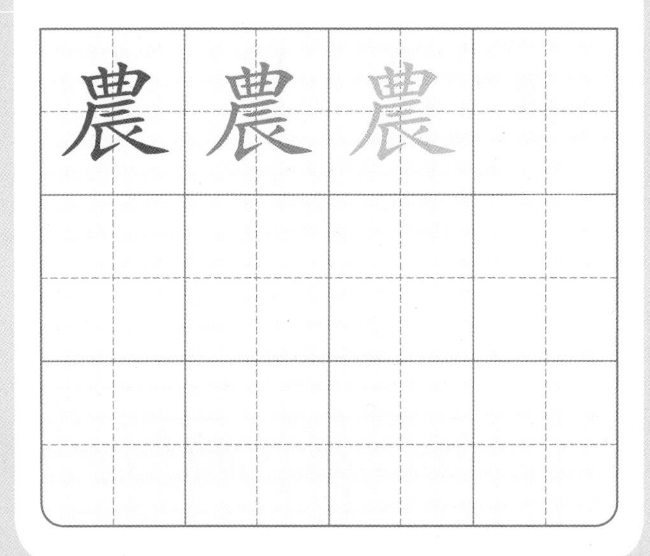

필순

農 農 農

| 중국 | 林 |
|---|---|
| 일본 | 林 |

| 수풀 림 | |
|---|---|
| 木부 | 총8획 |

**글자의 유래** **나무(木)**와 **나무(木)**를 그려 많은 나무들이 빽빽이 서있는 '**수풀**' 또는 '**숲**'을 뜻한다.

**활용 단어**
- 山林(산림) : 산과 숲. 산에 있는 숲.
- 竹林(죽림) : 대나무 숲.

・木(나무 목) ・山(메 산) ・竹(대 죽)

필순 一 十 才 木 木 村 材 林

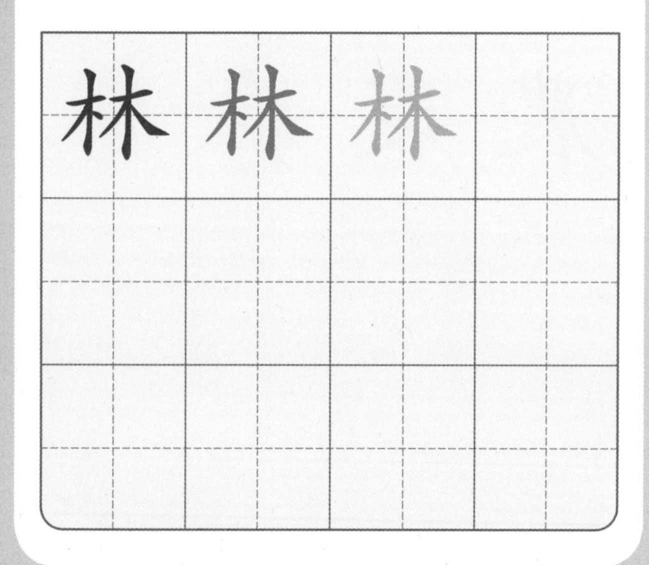

# 花

| 중국 | 花 |
|---|---|
| 일본 | 花 |

| 꽃 화 | |
|---|---|
| 艸부 | 총8획 |

**글자의 유래** 華(꽃 화)가 본래 자로, 초서로 쓰이면서 **풀(艹)**이 자라 **변하여(化)** 된 '**꽃**' 모양으로 변했다.

**활용 단어**
- 生花(생화) : 살아있는 목초에서 꺾은 꽃.
- 花草(화초) : 꽃이 피는 풀과 나무.

・生(날 생) ・草(풀 초) ・化(될 화)

필순 丶 十 艹 艹 艹 芢 芲 花

중국 植 / 일본 植

| 심을 식 | | 🡒 植 |
|---|---|---|
| 木부 | 총12획 | |

**글자의 유래** **나무(木)**를 **곧게**(直 ; 곧을 **직**) 세워두거나, 심는 데서 '**심다**'를 뜻한다.

**활용 단어**
- 植木(식목) : 나무를 심음.
- 植物(식물) : 광합성으로 영양을 섭취하는 생물체.

· 直 (곧을 직) · 木 (나무 목) · 物 (물건 물)

필순 一 十 才 木 木 朩 朾 朾 枯 植 植 植

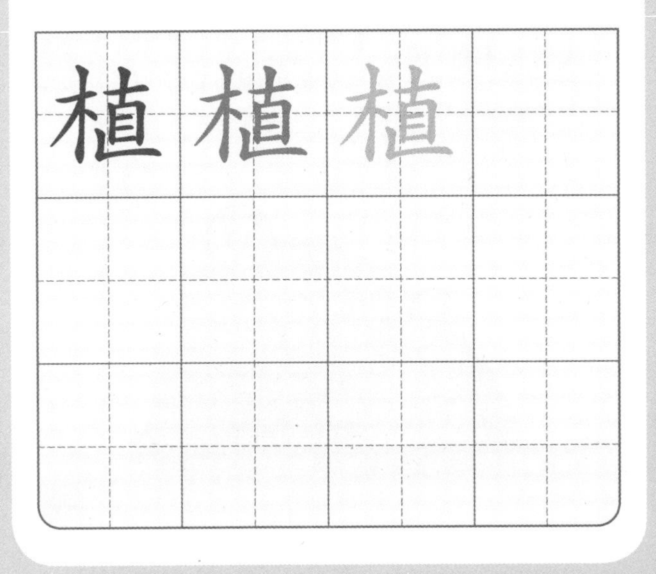

중국 土 / 일본 土

진흥 8급
검정 8급

| 흙 토 | | 🡒 🡒 土 |
|---|---|---|
| 土부 | 총3획 | |

**글자의 유래** **흙덩이 모양**으로 원시사회 때 제단의 신성한 '**흙**'을 뜻한다. '**흙**'과 '**토지**'와 관계되는 글자에 주로 쓰인다.

**활용 단어**
- 土地(토지) : 땅. 흙. 사람이 사는 터전.
- 白土(백토) : 색이 흰 석회질의 흙.

· 地 (땅 지) · 白 (흰 백)

필순 一 十 土

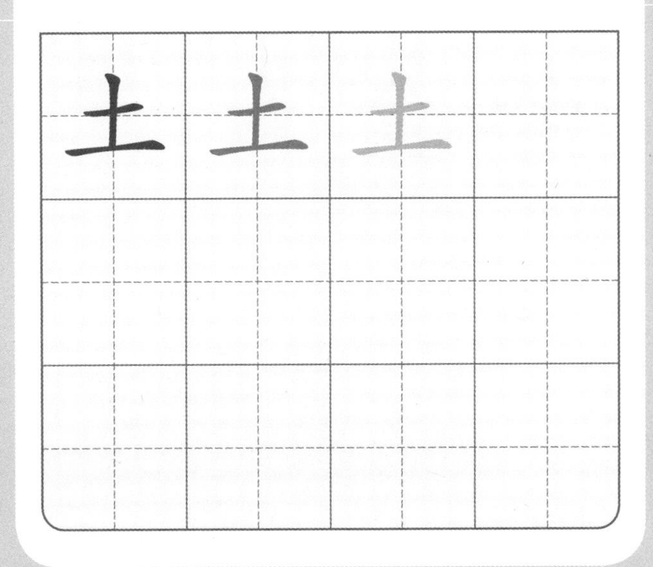

| 중국 | 金 |
|---|---|
| 일본 | 金 |

진흥 7급
검정 8급

| 쇠 성 | 금 김 |
|---|---|
| 金부 | 총8획 |

글자의 유래 거푸집 모양으로, 쇳물을 녹여 무기를 만드는 '**쇠**' '**금**'을 뜻한다. 사람의 성씨(姓氏)로 쓰일 때는 '**김**'으로 읽는다.

활용 단어
- 出金(출금) : 돈을 내어 쓰거나 내어 줌.
- 金石(금석) : 쇠와 돌. 매우 단단한 것.

·姓(성 성) ·出(날 출) ·石(돌 석)

필순 丿 人 亼 亼 全 侌 金 金

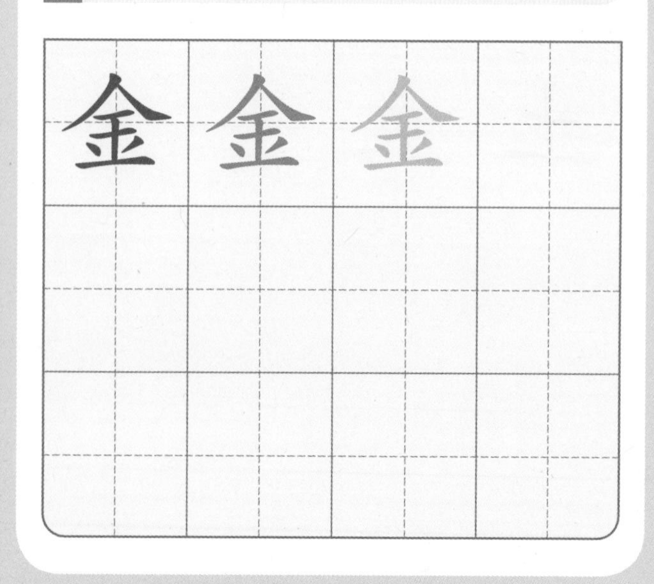

## 사자성어

**山川草木** 산천초목
산과 내, 풀과 나무, 즉 '자연'을 이르는 말로 쓰인다.

**萬古江山** 만고강산
오랜 세월이 흘러도 늘 변함없는 산천을 이르는 말이다.

**空山明月** 공산명월
'텅 빈 산 위에 떠 있는 달'이란 뜻으로, 보름달이 비추는 한밤중 산 속의 경치를 말한다.

# 확인 학습 문제



## 1 다음 漢字(한자)의 訓(훈)과 音(음)을 쓰세요.

(1) 山 (2) 川 (3) 草

(4) 木 (5) 江 (6) 海

(7) 水 (8) 火 (9) 夕

(10) 農 (11) 林 (12) 花

(13) 植 (14) 土 (15) 金

## 2 다음 漢字語(한자어)의 讀音(독음)을 쓰세요.

(1) 植木 (2) 土地 (3) 金石

(4) 山林 (5) 生花 (6) 七夕

(7) 農土 (8) 水平 (9) 火力

(10) 江山 (11) 海女 (12) 木手

(13) 草食 (14) 大川 (15) 南山

## 3 다음 漢字語(한자어)의 뜻을 쓰세요.

(1) 登山 : (　　　　　　　　　　)

(2) 草木 : (　　　　　　　　　　)

(3) 農村 : (　　　　　　　　　　)

## 4 다음 밑줄 친 漢字語(한자어)의 讀音(독음)을 쓰세요.

例(예) 부모에게 孝道해야 한다. ( 효도 )

(1) 나는 토요일마다 登山하러 남산에 간다. ( )

(2) 토끼는 풀만 먹는 草食 동물이다. ( )

(3) 나는 지난 주말에 東海에서 일출을 보았다. ( )

(4) 우리 나라 독도는 火山으로 생긴 섬이다. ( )

(5) 秋夕에는 송편을 먹는다. ( )

(6) 나무가 무성한 山林은 공기가 맑다. ( )

(7) 4월 5일은 植木日이다. ( )

(8) 친구와의 약속은 金石같이 굳게 지켜야 한다. ( )

## 5 다음 漢字(한자)와 상대 · 반대되는 漢字(한자)를 例(예)에서 찾아 그 기호를 쓰세요.

例(예) ㉠ 火 ㉡ 川 ㉢ 江

(1) 水 ↔ [ ]

(2) 山 ↔ [ ]

(3) [ ] ↔ 山

## 6 다음 ( ) 속에 알맞은 漢字(한자)를 例(예)에서 찾아 그 기호를 쓰세요.

例(예) ㉠ 木 ㉡ 土 ㉢ 江

(1) ( )馬 : 나무로 만든 장난감 말.

(2) ( )村 : 강가의 마을.

(3) 農( ) : 농사에 쓰이는 땅.

| 중국 | 人 |
|---|---|
| 일본 | 人 |

진흥 8급
검정 8급

| 사람 인 | |
|---|---|
| 人부 | 총2획 |

**글자의 유래** 사람이 옆으로 **선 모양**(⺅)에서 **'사람' '남'**을 뜻한다. 사람과 관계되는 글자에 많이 쓰인다.

**활용 단어**
- 人間(인간) : 사람. 인류.
- 人工(인공) : 사람이 하는 일. 사람의 힘으로 만들어 내는 일.

• 間 (사이 간) • 工 (장인 공)

필순 ノ 人

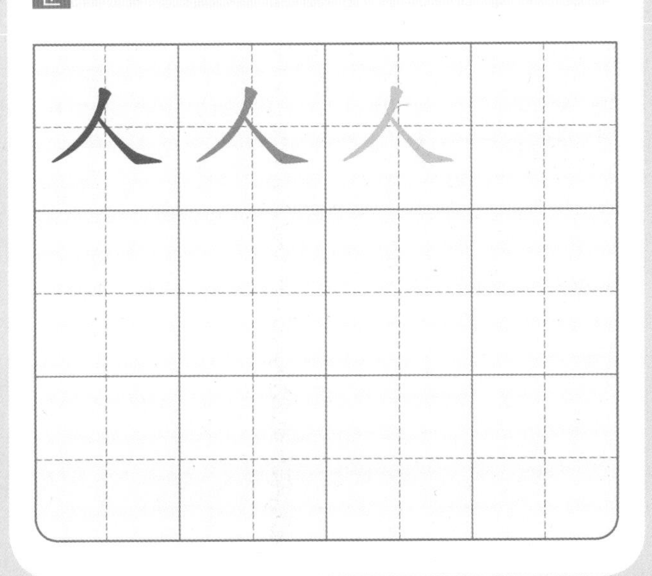

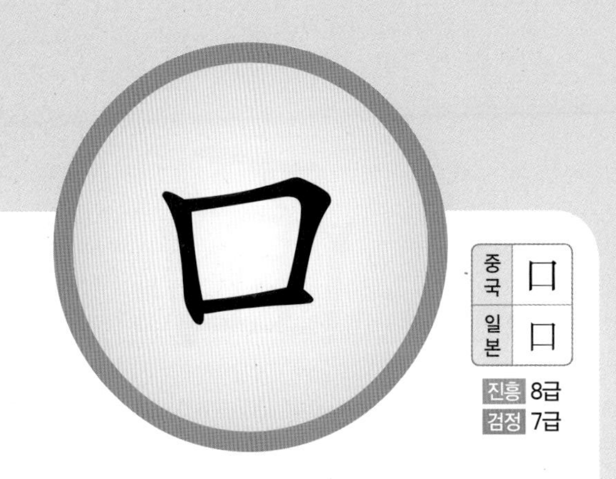


| 중국 | 口 |
|---|---|
| 일본 | 口 |

진흥 8급
검정 7급

| 입 구( : ) | |
|---|---|
| 口부 | 총3획 |

**글자의 유래** **'입'** 모양(ㅂ)으로 **'먹는 일' '소리'**, **사람**을 세는 단위나 **'통로' '구멍'**을 뜻한다.

**활용 단어**
- 人口(인구) : 일정 구역에 사는 사람의 수.
- 入口(입구) : 들어가는 통로.

• 人 (사람 인) • 入 (들 입)

필순 丨 ㄱ 口

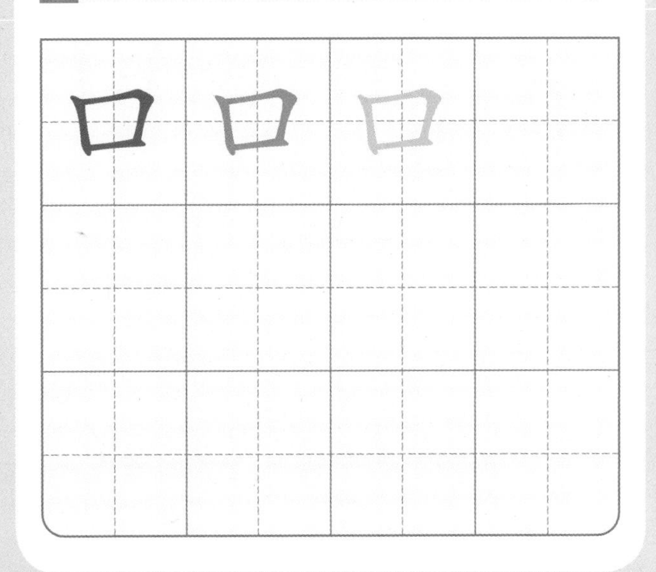

| 중국 | 面 |
| --- | --- |
| 일본 | 面 |

| 낯 | 면 : | |
| --- | --- | --- |
| 面부 | 총9획 | 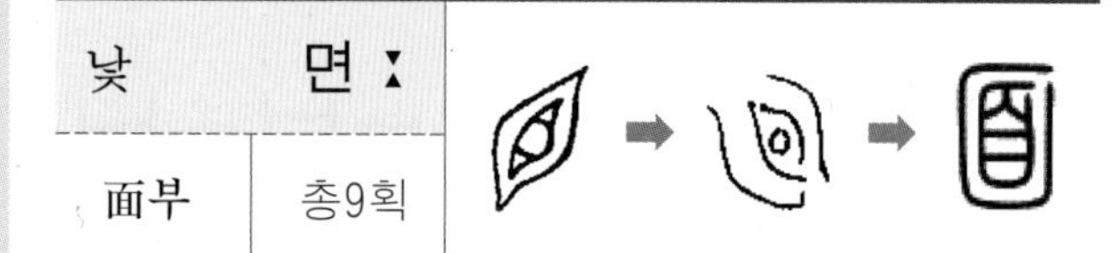 |

**글자의 유래** **머리(百)** 옆 **양볼([ ])**, 얼굴 **윤곽(口)**과 **눈(目)**을 그려 '**얼굴**'을 뜻한다.

**활용 단어**
- 水面(수면) : 물의 표면.
- 面刀(면도) : 얼굴의 잔털이나 수염을 깎는 일.

• 水 (물 수) • 刀 (칼 도)

**필순** 一 丆 丆 丙 而 而 而 面 面

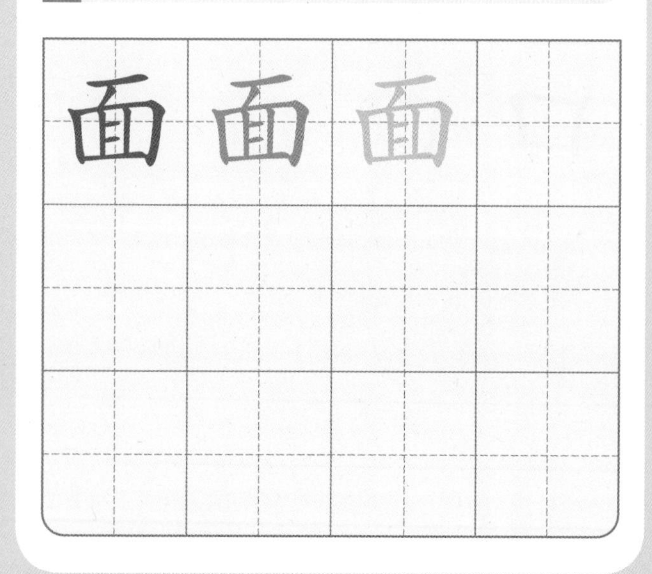

| 중국 | 自 |
| --- | --- |
| 일본 | 自 |

진흥 7급

| 스스로 | 자 |
| --- | --- |
| 自부 | 총6획 |

**글자의 유래** '**코**'의 모양이나, '**스스로**' 코를 가리키며 '**자기**'를 나타내는 데서 '**자신**' '**스스로**'를 뜻하게 되었다.

**활용 단어**
- 自力(자력) : 자기 혼자의 힘.
- 自立(자립) : 남의 힘을 입거나 의지하지 않고 스스로 서는 것.

• 力 (힘 력) • 立 (설 립)

**필순** ノ 亻 白 白 自 自

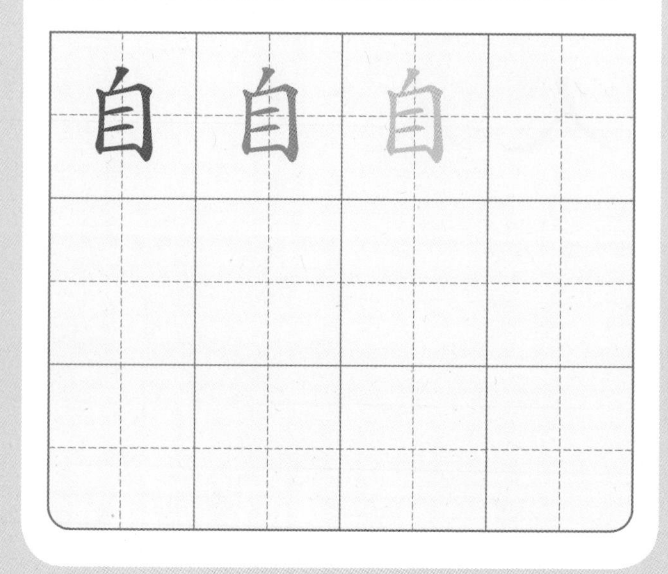

| 중국 | 手 |
|---|---|
| 일본 | 手 |

진흥 7급
검정 7급

| 손 수( ) | | |
|---|---|---|
| 手부 | 총4획 | |

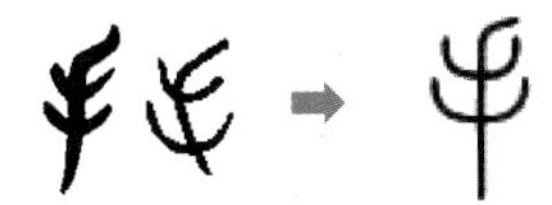

글자의 유래 사람의 다섯 손가락과 손목을 그려( ) '**손**'을 뜻한다. 변에 쓰일 때는 才(재주 재)와 비슷하여 '**재방 변(扌)**'이라 한다.

활용 단어
- 手中(수중) : 손 안.
- 手話(수화) : 손짓으로 하는 말.

• 中 (가운데 중) • 話 (말씀 화)

필순 ㇒ 二 三 手

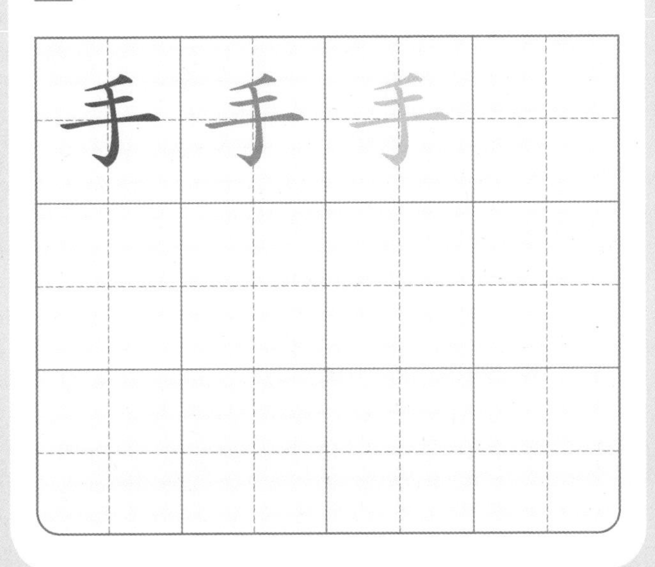

| 중국 | 足 |
|---|---|
| 일본 | 足 |

진흥 7급
검정 7급

| 발 족 | | |
|---|---|---|
| 足부 | 총7획 | |

글자의 유래 **무릎(口)**부터 **발(止)**까지의 '**발**' 모양으로, 마음에 들어 발이 머무는 데서 '**만족**'을 뜻하기도 한다.

활용 단어
- 自足(자족) : 스스로 만족하게 여김.
- 手足(수족) : 손과 발.

• 自 (스스로 자) • 手 (손 수)

필순 丨 ㇆ 口 ㇐ 早 ⻊ 足

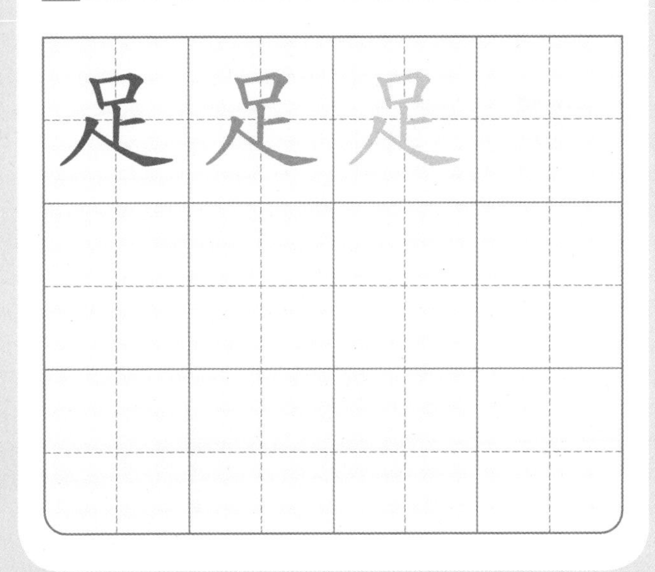

| 중국 | 寸 |
|---|---|
| 일본 | 寸 |

| 마디 | 촌 ː |  |
|---|---|---|
| 寸부 | 총3획 | |

글자의 유래 **손**(寸)목 손가락 한 마디 아래 부분 **맥**(丶)이 뛰는 곳을 집는 데서 **'마디'** **'법'**을 뜻한다. 마음, 양심, 법과 관계가 있다.

활용 단어
- 三寸(삼촌) : 아버지의 형제.
- 寸數(촌수) : 친척 간의 멀고 가까운 정도를 나타내는 수.

• 三(석 삼) • 數(셈 수)

필순 一 十 寸

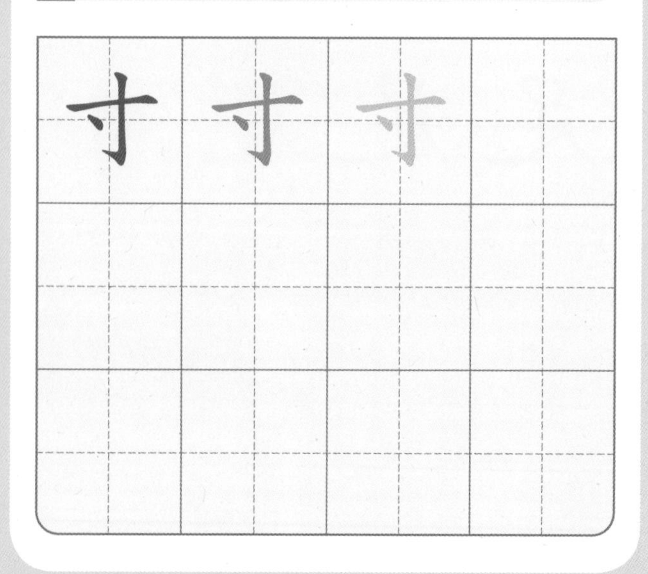

| 중국 | 心 |
|---|---|
| 일본 | 心 |

진흥 7급

| 마음 | 심 |
|---|---|
| 心부 | 총4획 |

글자의 유래 **심장 모양**을 본떠 만든 글자로, 옛날에는 심장이 생각하는 기관이라 여겨 **'마음'** **'생각'** **'감정'** 등을 뜻한다. 변형으로 '⺗ · 忄'이 쓰인다.

활용 단어
- 心中(심중) : 마음 속.
- 同心(동심) : 마음을 같이 함.

• 中(가운데 중) • 同(한가지 동)

필순 ' 心 心 心

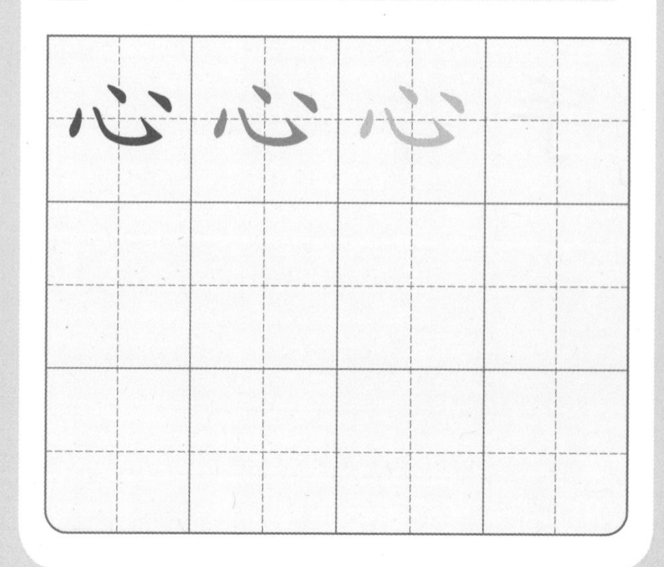

중국 力 · 일본 力

진흥 7급

| 힘 | 력 |
|---|---|
| 力부 | 총2획 |

중국 立 · 일본 立

진흥 7급

| 설 | 립 |
|---|---|
| 立부 | 총5획 |

**글자의 유래** 땅을 파는 **농기구**의 **모양**으로, 땅을 팔 때 힘을 사용하는 데서 **'힘'**을 뜻한다.

**활용 단어**
- 力士(역사) : 뛰어나게 힘이 센 사람.
- 動力(동력) : 움직이게 하는 힘.

· 士(선비 사) · 動(움직일 동)

**필순** ㇆ 力

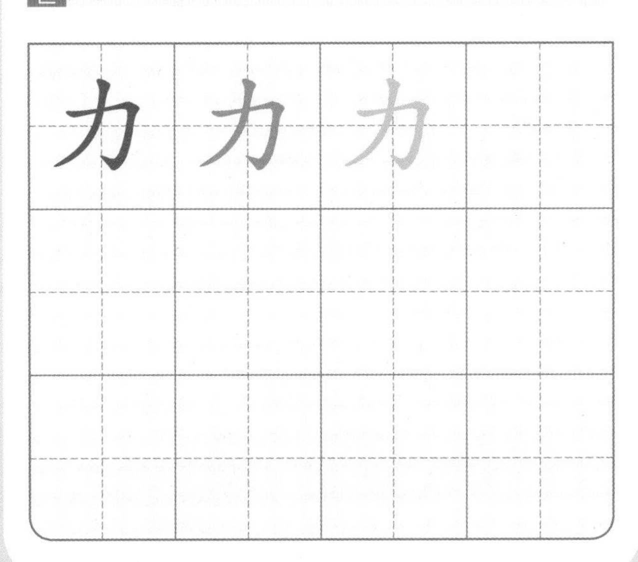

**글자의 유래** **사람**(大=亣)이 **땅**(一)에 양 팔을 벌리고 서 있는 **모양**에서 **'서다'**를 뜻한다.

**활용 단어**
- 立冬(입동) : 겨울의 시작.
- 中立(중립) : 어느 쪽에도 치우치지 않고 중간에 서는 것.

· 冬(겨울 동) · 中(가운데 중)

**필순** 丶 亠 亣 立 立

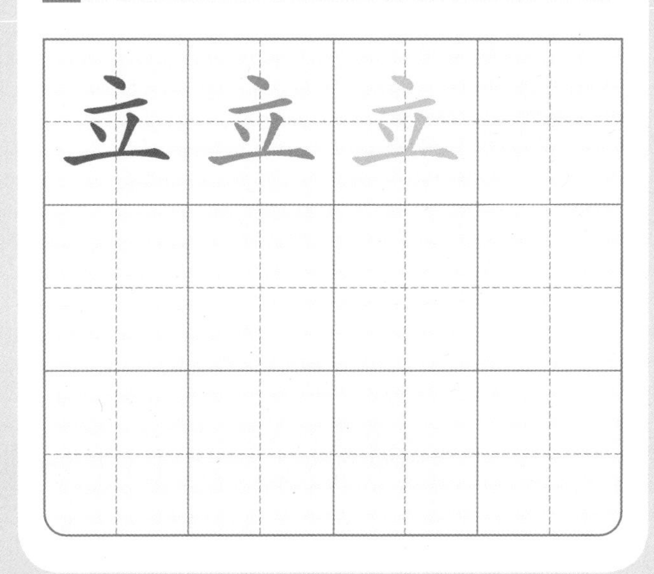

| 중국 | 老 |
|---|---|
| 일본 | 老 |

| 늙을 | 로ː |
|---|---|
| 老부 | 총6획 |

**글자의 유래** 긴머리 **노인(毛+儿=耂)**이 **지팡이(匕)**를 잡고 있는 모양에서 **'늙음'**을 뜻한다.

**활용 단어**
- **老人**(노인) : 나이가 많은 사람.
- **老年**(노년) : 늙은 나이.

・人(사람 인) ・年(해 년)

필순: 一 十 土 耂 耂 老

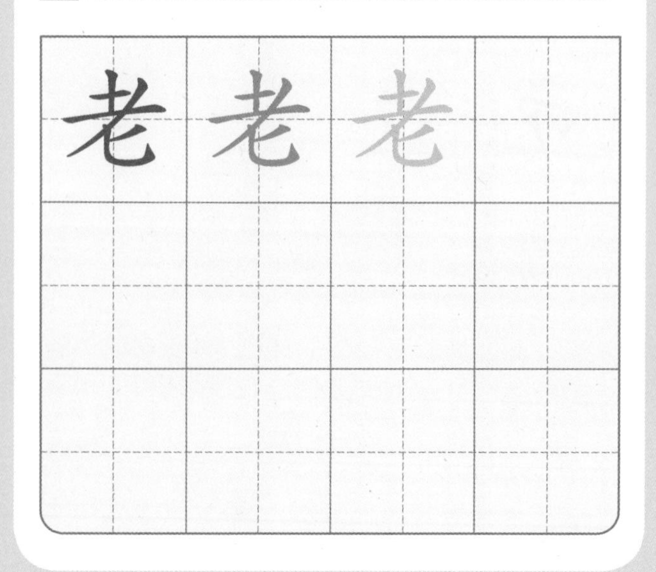

| 중국 | 民 |
|---|---|
| 일본 | 民 |

| 백성 | 민 |
|---|---|
| 氏부 | 총5획 |

**글자의 유래** 뾰족한 무기로 **눈을 찔린** **'노예'**에서 **'서민' '백성'**을 뜻한다.

**활용 단어**
- **民主**(민주) : 주권이 국민에게 있음.
- **農民**(농민) : 농업에 종사하는 사람들.

・主(주인 주) ・農(농사 농)

필순: ㇆ ㇆ 尸 F 民

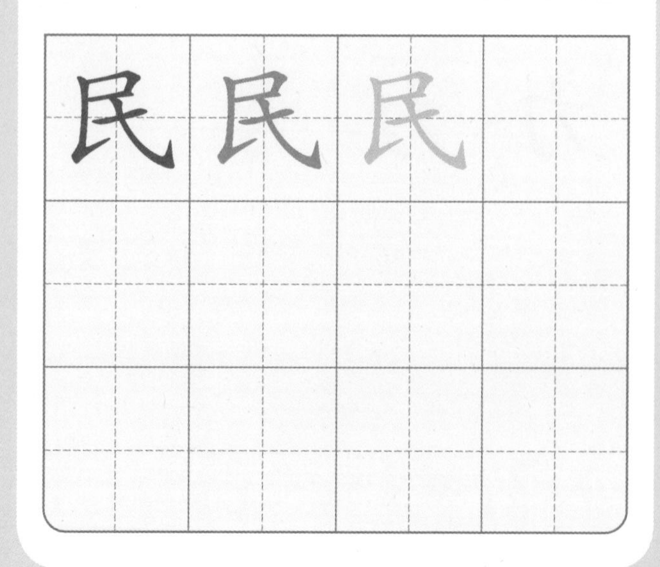

| 중국 | 每 |
|---|---|
| 일본 | 每 |

| 매양 | 매(ː) | 古文字 |
|---|---|---|
| 毋부 | 총7획 | |

글자의 유래 매일 머리에 **장식(𠂉)**을 한 **여자(毋)**에서 **'매양'** **'매일'**을 뜻한다.

활용 단어
- 每事(매사) : 하나하나의 모든 일.
- 每年(매년) : 해마다 오는 그 해.

·事(일 사) ·年(해 년) ·母(어미 모)

필순 丿 𠂉 𠂉 每 每 每 每

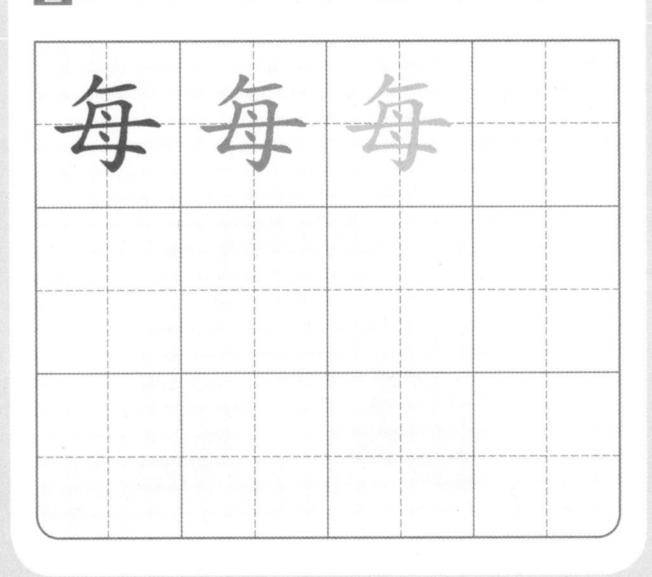

| 중국 | 空 |
|---|---|
| 일본 | 空 |

| 빌 | 공 | 古文字 |
|---|---|---|
| 穴부 | 총8획 | |

글자의 유래 벽에 **굴(穴)**을 파서 **만든(工)** 집 형태로, 그 가운데가 비어 **'비다'** **'공간'** **'하늘'**을 뜻한다.

활용 단어
- 空間(공간) : 비어 있는 칸.
- 空軍(공군) : 항공기를 이용하여 공중을 지키는 군대.

·間(사이 간) ·軍(군사 군) ·穴(구멍 혈)

필순 丶 丶 宀 宀 穴 空 空 空

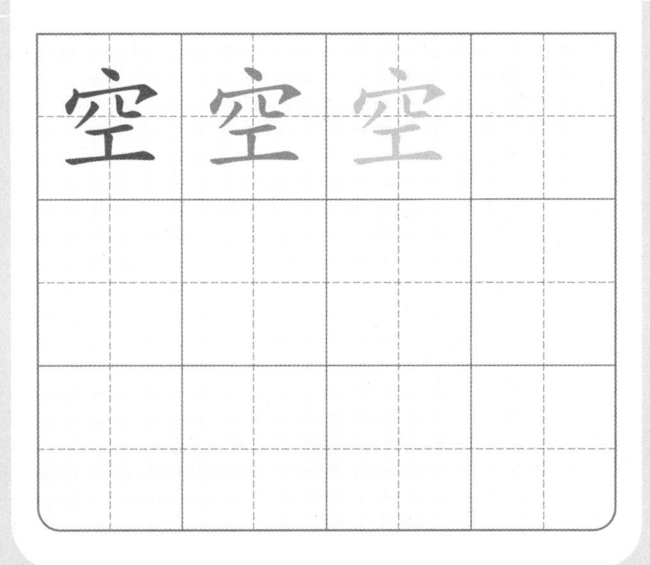

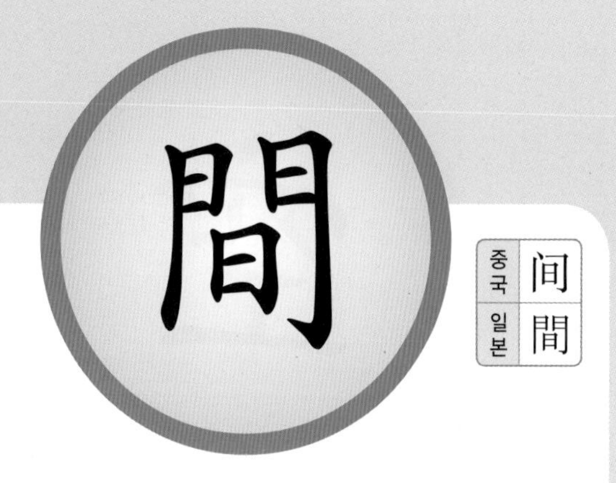

| 중국 | 间 |
|---|---|
| 일본 | 間 |

| 사이 간(ː) | |
|---|---|
| 門부 | 총12획 |

**글자의 유래** **문(門)**틈으로 **햇(日)**빛이나 **달(月)**빛이 들어오는 **'사이'**를 뜻한다.

**활용 단어**
- 間食 (간식) : 끼니 외에 먹는 음식.
- 時間 (시간) : 어떤 시각에서 시각까지의 동안.

·食(밥 식) ·時(때 시) ·門(문 문)

필순 丨 ㄱ ㄱ ㄱ 門 門 門 門 門 間 間 間

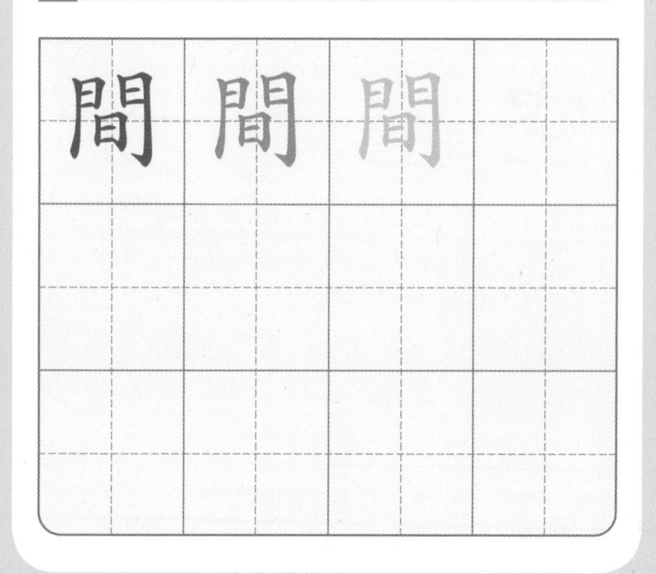

## 사자성어

**自手成家** 자수성가

❖ 물려받은 재산 없이 스스로의 힘으로 어엿한 한 살림을 이룩하는 것을 의미한다.

**作心三日** 작심삼일

❖ 단단히 먹은 마음이 사흘을 가지 못한다는 뜻으로, 결심이 굳지 못함을 이르는 말이다.

**人山人海** 인산인해

❖ 사람이 산을 이루고 바다를 이루었다는 뜻으로, 사람이 수없이 많이 모인 상태를 가리킨다.

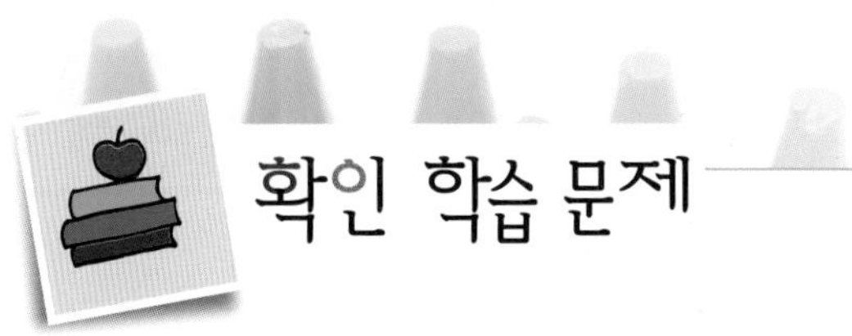

# 확인 학습 문제



**1** 다음 漢字(한자)의 訓(훈)과 音(음)을 쓰세요.

(1) 人 (2) 口 (3) 面

(4) 自 (5) 手 (6) 足

(7) 寸 (8) 心 (9) 力

(10) 立 (11) 老 (12) 民

(13) 每 (14) 空 (15) 間

**2** 다음 漢字語(한자어)의 讀音(독음)을 쓰세요.

(1) 人間 (2) 入口 (3) 水面

(4) 自力 (5) 手中 (6) 自足

(7) 三寸 (8) 心中 (9) 動力

(10) 中立 (11) 老人 (12) 農民

(13) 每年 (14) 空軍 (15) 間食

**3** 다음 漢字語(한자어)의 뜻을 쓰세요.

(1) 手中 : (                    )

(2) 自力 : (                    )

(3) 間食 : (                    )

4 다음 訓(훈)과 音(음)에 맞는 漢字(한자)를 例(예)에서 찾아 그 기호를 쓰세요.

例(예)

㉠ 間 ㉡ 空 ㉢ 每 ㉣ 民
㉤ 老 ㉥ 力 ㉦ 面 ㉧ 人

(1) 백성 민 [ ]  (2) 늙을 로 [ ]

(3) 빌 공 [ ]  (4) 힘 력 [ ]

(5) 사이 간 [ ]  (6) 낯 면 [ ]

(7) 매양 매 [ ]  (8) 사람 인 [ ]

5 다음 漢字語(한자어)에 맞는 뜻을 찾아 선으로 연결하세요.

(1) 入口 · · ㉠ 비어 있는 칸

(2) 水面 · · ㉡ 아버지의 형제

(3) 手足 · · ㉢ 들어가는 통로

(4) 空間 · · ㉣ 손과 발

(5) 三寸 · · ㉤ 물의 표면

다음 ( ) 속에 알맞은 漢字(한자)를 例(예)에서 찾아 그 기호를 쓰세요.

例(예)

㉠ 刀 ㉡ 老 ㉢ 心 ㉣ 立

(1) 同( ) : 마음을 같이 함.

(2) 自( ) : 남의 힘을 입거나 의지하지 않고 스스로 서는 것.

(3) 面( ) : 얼굴의 잔털이나 수염을 깎는 일.

(4) ( )人 : 나이가 많은 사람.

| 중국 | 祖 |
|---|---|
| 일본 | 祖 |

| 할아비 | 조 |
|---|---|
| 示부 | 총10획 |

**글자의 유래** **제단(示)**에 고기를 **쌓아(且)** **'조상' '할아버지'**께 제사함을 뜻한다. '且(또 차)'를 위패 모양으로 보기도 한다.

**활용 단어**
- 先祖(선조) : 먼 윗대의 조상.
- 祖上(조상) : 같은 혈통인 할아버지 이상의 대대의 어른.

・先(먼저 선) ・上(윗 상) ・示(보일 시)

필순 一 二 亍 亓 示 礻 礽 祖 祖 祖

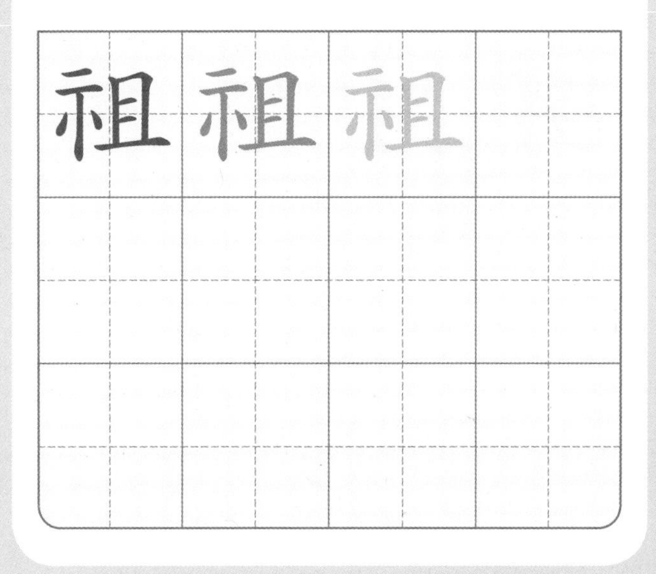

| 중국 | 父 |
|---|---|
| 일본 | 父 |

진흥 8급
검정 8급

| 아비<br>아버지 | 부<br>부 |
|---|---|
| 父부 | 총4획 |

**글자의 유래** **사냥도구(八)**를 **손(又=乂)**에 들고 사냥하는 **'아비' '아버지'**를 뜻한다.

**활용 단어**
- 父母(부모) : 아버지와 어머니.
- 父子(부자) : 아버지와 아들.

・母(어미 모) ・子(아들 자) ・八(여덟 팔)

필순 丿 八 父 父

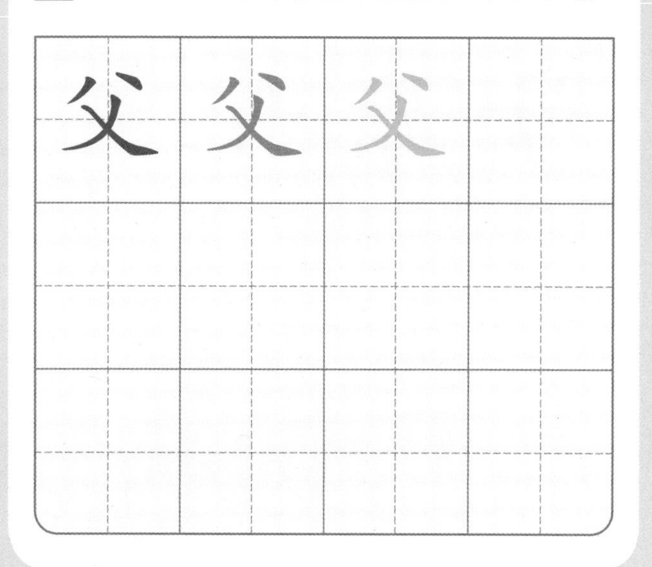

| 중국 | 母 |
|---|---|
| 일본 | 母 |

진흥 8급
검정 8급

| 어미 모 : 어머니 모 : | |
|---|---|
| 毋부 | 총5획 |

## 글자의 유래

**여자(女)** 가슴에 **두 점(丶)**을 표해, 아이를 낳아 젖을 주는 '**어머니**' 아이의 '**어미**'를 뜻한다.

## 활용 단어

- 母校(모교) : 자기가 졸업한 학교.
- 母女(모녀) : 어머니와 딸.

· 校(학교 교) · 女(계집 녀)

필순 ㄴ 𠃋 𠂘 毋 母

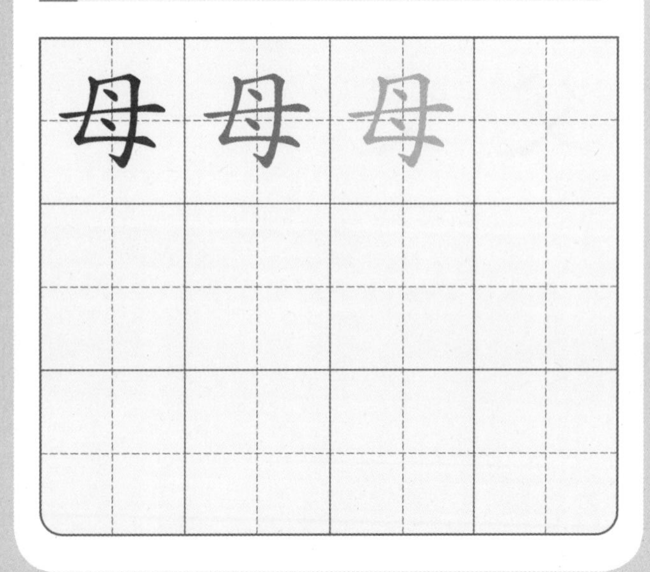

| 중국 | 男 |
|---|---|
| 일본 | 男 |

진흥 7급
검정 8급

| 사내 남 | |
|---|---|
| 田부 | 총7획 |

## 글자의 유래

**밭(田)**에 나가 쟁기(力)로 **힘(力)**써 밭을 가는 '**남자**'를 뜻한다.

## 활용 단어

- 長男(장남) : 맏아들.
- 男子(남자) : 남성인 사람.

· 田(밭 전) · 長(긴 장) · 子(아들 자)

필순 丨 冂 日 田 田 男 男

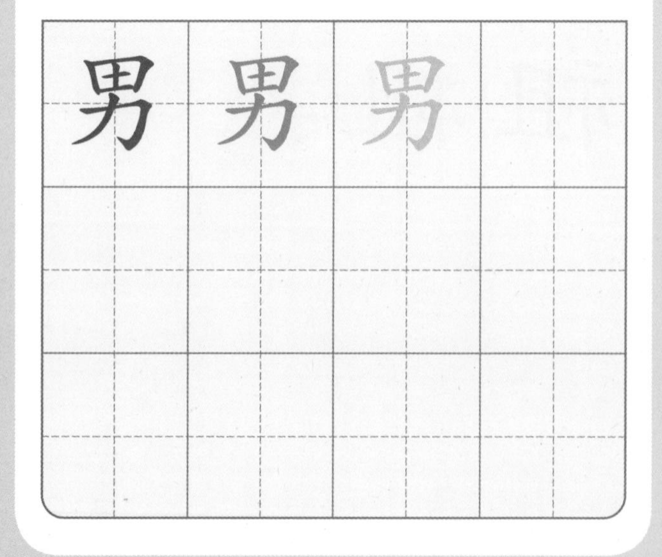

| 중국 | 女 |
| --- | --- |
| 일본 | 女 |

진흥 8급
검정 8급

| 계집 | 녀 |  |
| --- | --- | --- |
| 女부 | 총3획 | |

**글자의 유래** 두 손이 묶여 잡혀온 **노예**나 '**여자**'에서 '**계집**'을 뜻한다. 여자와 관계되는 글자에 쓰인다.

**활용 단어**
- 女王(여왕) : 여자 임금.
- 女人(여인) : 어른인 여자.

• 王(임금 왕) • 人(사람 인)

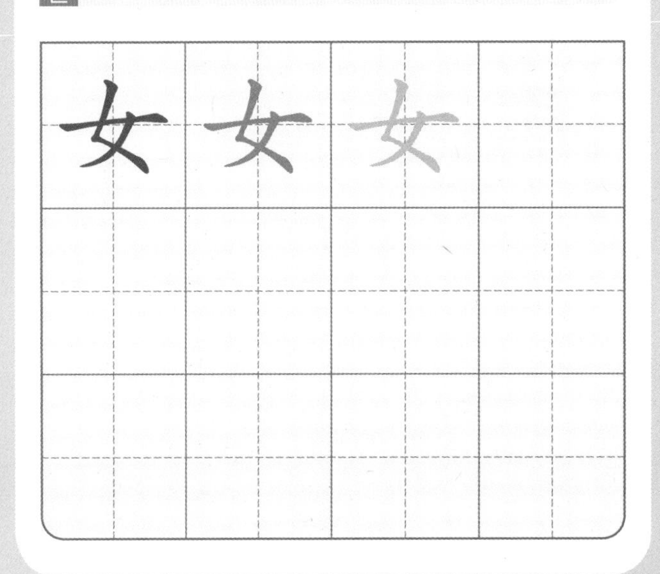

**필순** ㇛ 𡿨 女

女 女 女

| 중국 | 兄 |
| --- | --- |
| 일본 | 兄 |

진흥 7급
검정 8급

| 형 맏 | 형 |  |
| --- | --- | --- |
| 儿부 | 총5획 | |

**글자의 유래** **입(口)**을 벌려 무리의 안녕을 위해 제사를 주관하는 **사람(儿)**인 '**형**'을 뜻한다.

**활용 단어**
- 兄夫(형부) : 언니의 남편.
- 父兄(부형) : 아버지와 형.

• 夫(사나이/지아비 부) • 父(아비 부)

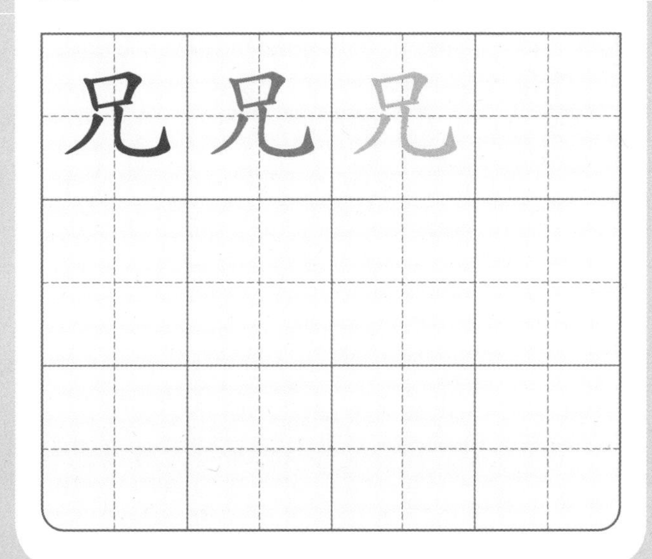

**필순** 丨 ㄇ 口 尸 兄

兄 兄 兄

# 弟

| 중국 | 弟 |
|---|---|
| 일본 | 弟 |

검정 8급

| 아우 | 제 : |
|---|---|
| 弓부 | 총7획 |

**글자의 유래** **주살**(弋=丫)에 **활**(弓)처럼 '**차례**'로 감은 줄 **끝**(丿)에서 '**아우**'를 뜻한다.

**활용 단어**
- 兄弟(형제) : 형과 아우.
- 弟子(제자) : 스승의 가르침을 받는 사람.

• 兄(형 형) • 子(아들 자) • 弓(활 궁)

필순 丶 丷 丷 当 肖 弟 弟

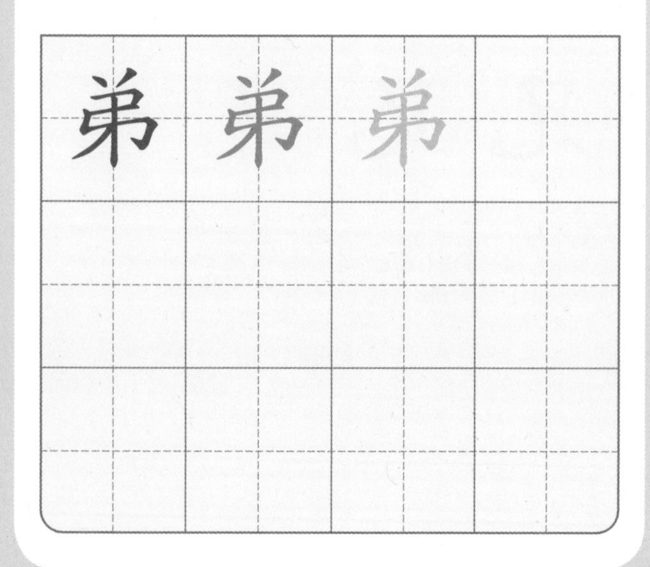

# 孝

| 중국 | 孝 |
|---|---|
| 일본 | 孝 |

| 효도 | 효 : |
|---|---|
| 子부 | 총7획 |

**글자의 유래** **늙으신**(老=耂) 부모나 노인을 **아이**(子)가 부축하거나 돕는 데서 '**효도**'를 뜻한다.

**활용 단어**
- 孝道(효도) : 어버이를 잘 섬기는 도리.
- 孝心(효심) : 효성스러운 마음.

• 道(길 도) • 心(마음 심) • 老(늙을 로)

필순 一 十 土 耂 耂 考 孝

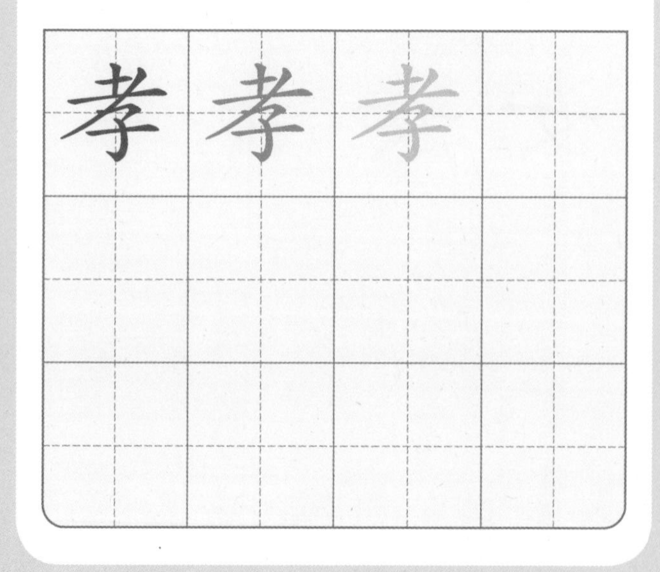

| 중국 | 子 |
| --- | --- |
| 일본 | 子 |

진흥 8급
검정 8급

| 아들 자 | |  |
| --- | --- | --- |
| 子부 | 총3획 | |

**글자의 유래** 강보에 쌓인 머리가 큰 **어린아이(**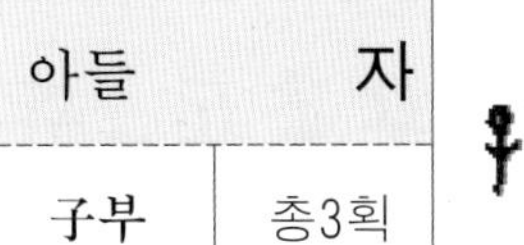**)** 모양으로, '**자식**' '**아들**' '**새끼**'를 뜻한다.

**활용 단어**
- 子女(자녀) : 아들과 딸.
- 天子(천자) : 하늘의 아들이란 뜻으로, 황제(皇帝)를 일컬음.

・女 (계집 녀) ・天 (하늘 천)

필순 ㇇ 了 子

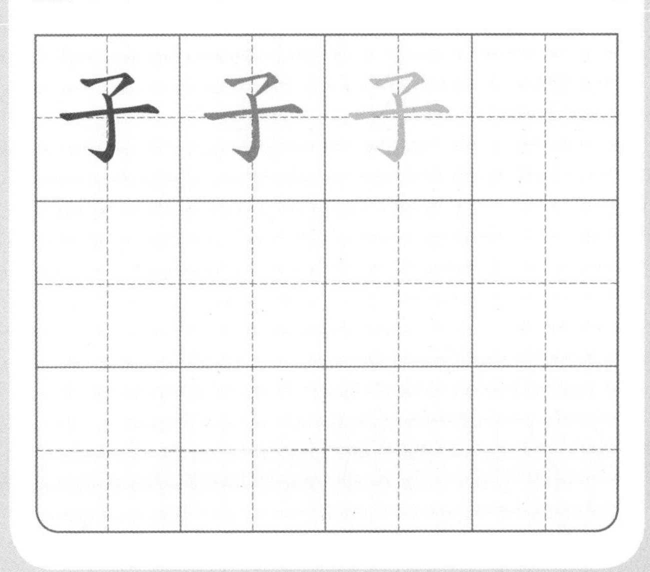

| 중국 | 姓 |
| --- | --- |
| 일본 | 姓 |

| 성 성ː | |  |
| --- | --- | --- |
| 女부 | 총8획 | |

**글자의 유래** 모계사회 때, **여자(女)**가 아이를 **낳은(生)** 지명이름이 성씨로 쓰이던 데서 '**성씨**'를 뜻한다.

**활용 단어**
- 百姓(백성) : 국민의 예스러운 말.
- 同姓(동성) : 같은 성씨.

・百 (일백 백) ・同 (한가지 동) ・生 (날 생)

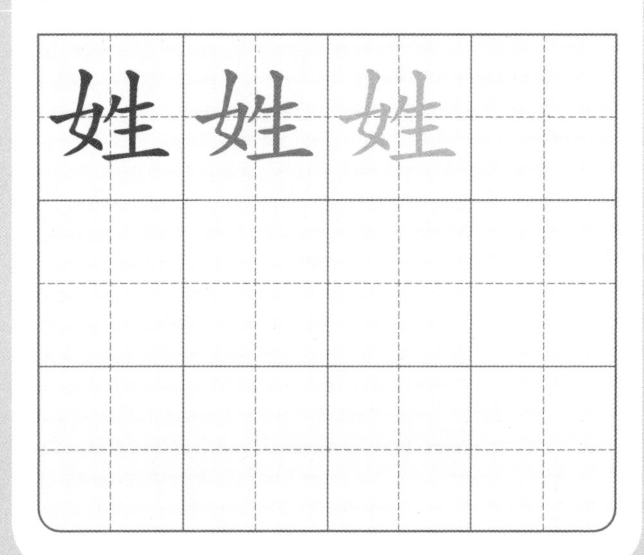

필순 ㇛ 女 女 女 女 女 姓 姓

# 夫

| 중국 | 夫 |
|---|---|
| 일본 | 夫 |

| 사나이 부<br>지아비 부 | |
|---|---|
| 大부 | 총4획 |

**글자의 유래** 결혼하여 **동곳(一)**을 꽂은 **성인(大)** 남성에서 '**사내** '**지아비**'를 뜻한다.

**활용 단어**
- 夫人(부인) : 남의 아내를 높여 부르는 말.
- 工夫(공부) : 학문이나 기술을 배우고 익힘.

・人(사람 인)・工(장인 공)・大(큰 대)

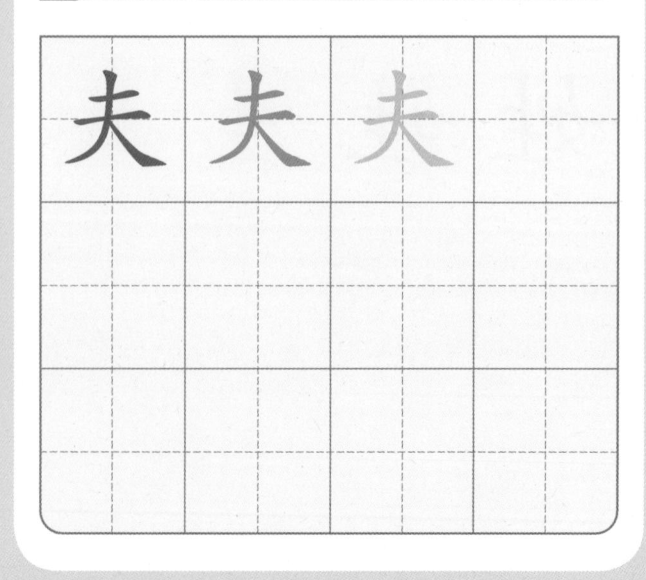

필순 一 二 夫 夫

# 長

| 중국 | 长 |
|---|---|
| 일본 | 長 |

| 긴 장(ː)<br>어른 장(ː) | |
|---|---|
| 長부 | 총8획 |

**글자의 유래** 머리가 긴 노인이 지팡이를 들고 서 있는 모양에서 '**길다**' '**어른**'을 뜻한다.

**활용 단어**
- 長女(장녀) : 맏딸. 큰딸.
- 所長(소장) : 연구소, 사무소 등의 '소'자가 붙은 기관의 책임자.

・女(계집 녀)・所(바 소)

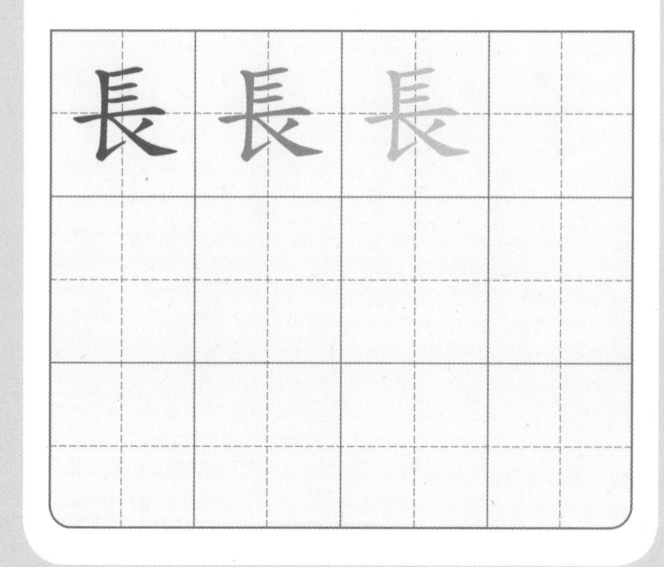

필순 一 厂 F F 트 툐 長 長

| 중국 | 主 |
|---|---|
| 일본 | 主 |

| 주인 주 | | |
|---|---|---|
| 丶부 | 총5획 | |

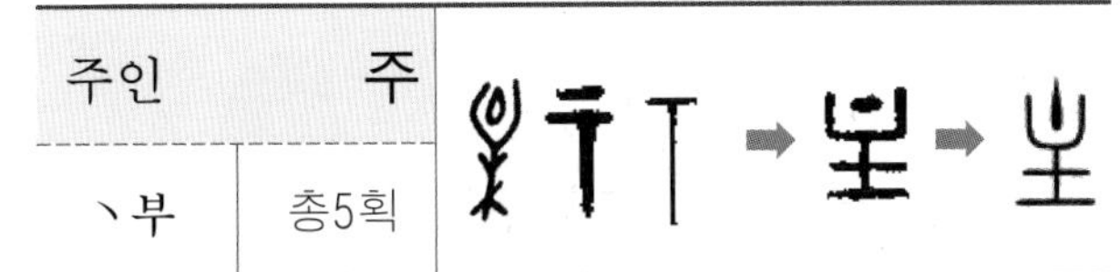

**글자의 유래** 횃대 중심에 두던 **불(丶)**과 **등받침(王)**에서 그 곳의 중심인 '**주인**'이나 '**임금**'을 뜻한다.

**활용 단어**
- 主食(주식) : 평소에 먹는 주된 음식.
- 主人(주인) : 한 집안을 꾸려 나가는 주된 사람. 물건의 임자.

·食(밥 식) ·人(사람 인)

필순 丶 亠 亖 丰 主

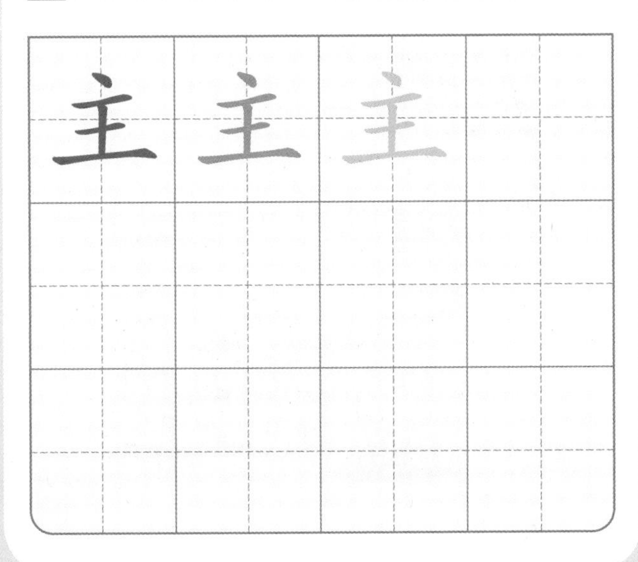

| 중국 | 住 |
|---|---|
| 일본 | 住 |

| 살 주ː | |
|---|---|
| 人부 | 총7획 |

**글자의 유래** **사람(亻)**이 횃대 **중심(主)**처럼 한 곳에 머물러 '**살다**' '**삶**'을 뜻한다.

**활용 단어**
- 住民(주민) : 그 땅에 사는 백성.
- 入住(입주) : 특정한 땅이나 집에 들어가 사는 것.

·民(백성 민) ·入(들 입)

필순 丿 亻 亻 亻 仨 住 住

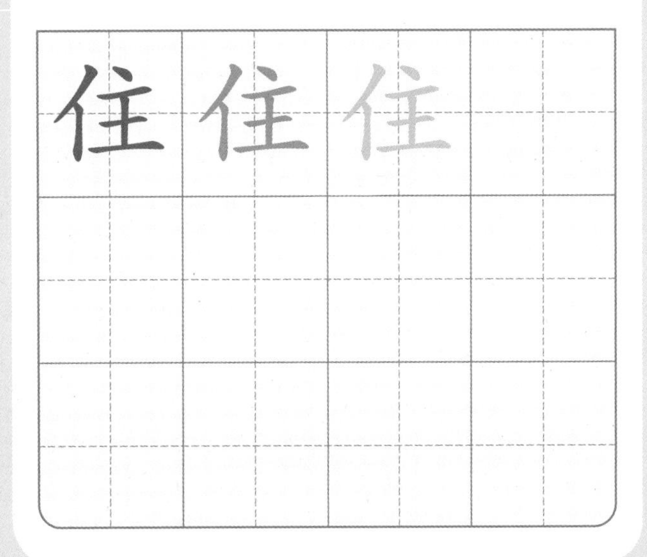

| 중국 | 全 |
|---|---|
| 일본 | 全 |

| 온전 전 | |
|---|---|
| 入부 | 총6획 |



**글자의 유래** 보석에 **드는(入)** 완전하게 **만들어진(工=王)** 보석이나, 보석에 **드는(入) 완전한 옥(玉=王)**, 또는 완전한 거푸집에서 **'온전함'**을 뜻한다.

**활용 단어**
- 全國(전국) : 한 나라의 전체.
- 全力(전력) : 있는 모든 힘.

· 國(나라 국) · 力(힘 력) · 入(들 입)

필순 ノ 入 入 全 全 全

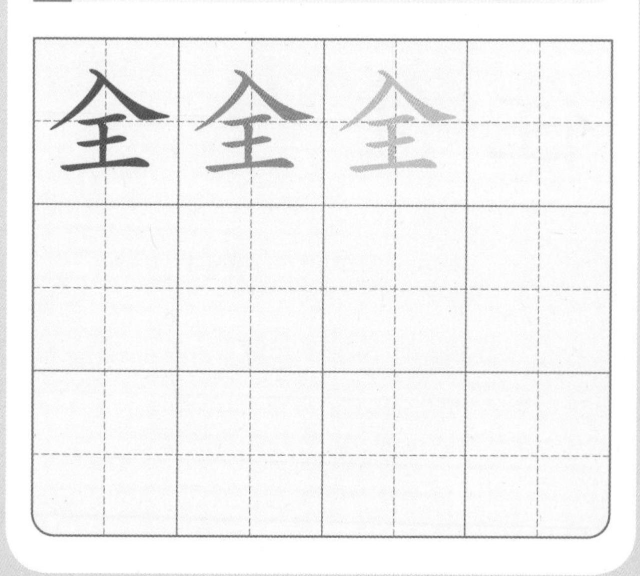

## 사자성어

**男女老少** 남녀노소

남자와 여자, 늙은이와 젊은이라는 뜻으로, 모든 사람을 가리킨다.

**男女有別** 남녀유별

유교 사상에서 '남녀 사이에는 분별이 있어야 함'을 이르는 말이다.

**父母兄弟** 부모형제

아버지와 어머니, 형과 아우라는 뜻으로, 같은 피를 받은 가족을 나타낸 말이다.

# 확인 학습 문제



## 1 다음 漢字(한자)의 訓(훈)과 音(음)을 쓰세요.

(1) 祖 (2) 父 (3) 母

(4) 男 (5) 女 (6) 兄

(7) 弟 (8) 孝 (9) 子

(10) 姓 (11) 夫 (12) 長

(13) 主 (14) 住 (15) 全

## 2 다음 漢字語(한자어)의 讀音(독음)을 쓰세요.

(1) 祖上 (2) 父子 (3) 母女

(4) 長男 (5) 女王 (6) 兄夫

(7) 弟子 (8) 孝心 (9) 天子

(10) 百姓 (11) 夫人 (12) 長女

(13) 主食 (14) 住民 (15) 全力

## 3 다음 漢字語(한자어)의 뜻을 쓰세요.

(1) 全力 : (                    )

(2) 同姓 : (                    )

(3) 長男 : (                    )

**4** 다음 밑줄 친 漢字語(한자어)의 讀音(독음)을 쓰세요.

(1) 모든 姓氏(성씨)는 훌륭한 <u>先祖</u>를 두고 있다. ( )
(2) <u>父子</u> 간에는 親(친)함이 있어야 한다. ( )
(3) 자기가 졸업한 학교를 <u>母校</u>라고 한다. ( )
(4) 여자 임금을 <u>女王</u>이라고 한다. ( )
(5) 언니의 남편을 <u>兄夫</u>라고 한다. ( )
(6) 스승의 가르침을 받는 사람을 <u>弟子</u>라고 한다. ( )
(7) 부모님께 <u>孝道</u>를 잘 해야 한다. ( )
(8) 연구소의 책임자를 <u>所長</u>이라고 부른다. ( )
(9) 평소에 먹는 주된 음식을 <u>主食</u>이라고 한다. ( )
(10) 한자 교육 열풍이 <u>全國</u>으로 번졌다. ( )

**5** 다음 漢字(한자)와 상대 · 반대되는 漢字(한자)를 例(예)에서 찾아 그 기호를 쓰세요.

例(예) ㉠ 母 ㉡ 男 ㉢ 女 ㉣ 兄

(1) ☐ ↔ 女
(2) ☐ ↔ 弟
(3) 父 ↔ ☐
(4) 子 ↔ ☐

**6** 다음 ( ) 속에 알맞은 漢字(한자)를 例(예)에서 찾아 그 기호를 쓰세요.

例(예) ㉠ 全 ㉡ 祖 ㉢ 孝

(1) ( )心 : 효성스러운 마음.
(2) 先( ) : 먼 윗대의 조상.
(3) ( )國 : 한 나라의 전체.

| 나라 국 | |
|---|---|
| 口부 | 총11획 |

**글자의 유래** 국경의 둘레를 **에워(口)**싸고 **창(戈)**으로 **경계(口)**의 **땅(一)**을 **혹시(或)**라도 해서 지키는 구역인 **'나라'**를 뜻한다.

**활용 단어**
- 國語(국어) : 자기 나라의 말.
- 國家(국가) : 일정한 영토와 국민이 있는 통치 조직.

· 戈(창 과) · 語(말씀 어) · 家(집 가)

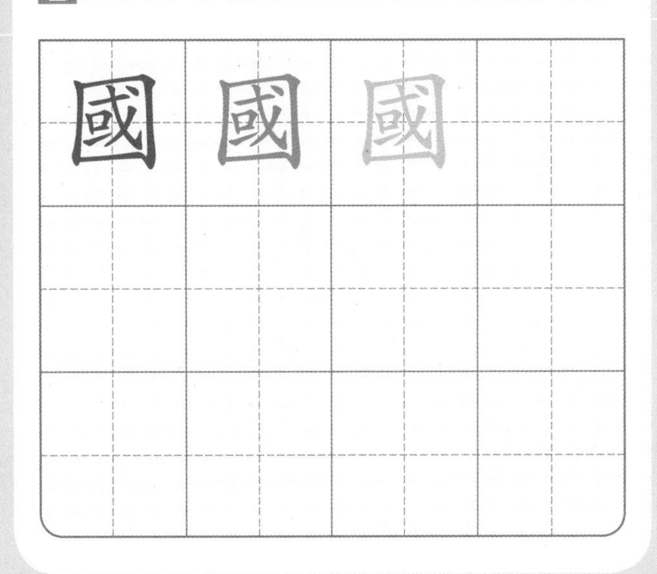

필순 丨 冂 冂 冂 冃 冋 囗 囗 國 國 國

| 집 가 | |
|---|---|
| 宀부 | 총10획 |

**글자의 유래** **집(宀)** 아래 **돼지(豕)**를 기르던 옛날 **'집'**의 모습이다. '화가(畫家)'처럼 **'전문가'**를 뜻하기도 한다.

**활용 단어**
- 家長(가장) : 집안의 어른.
- 草家(초가) : 볏짚이나 갈대 따위로 이엉을 엮어 지붕을 만든 집.

· 長(어른 장) · 草(풀 초) · 豕(돼지 시)

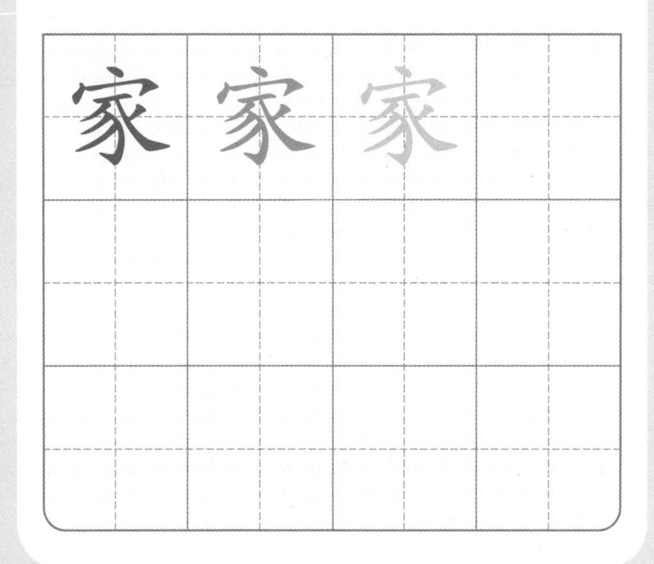

필순 丶 丶 宀 宀 宀 宁 宇 家 家 家

| 중국 | 洞 |
|---|---|
| 일본 | 洞 |

| 골 동 : / 밝을 통 : | |
|---|---|
| 水부 | 총9획 |

**글자의 유래** **물**(氵)이 **함께**(同) 모여 빨리 흐르는 '**골짜기**'에서 '**통하다**' '**밝다**' '**마을**'을 뜻한다.

**활용 단어**
- 洞里(동리) : 지방 행정 구역인 동과 리.
- 洞長(동장) : 동을 대표하는 사람.

• 里(마을 리) • 長(어른 장)

필순 丶 冫 氵 氵丨 汀 汌 泂 洞 洞

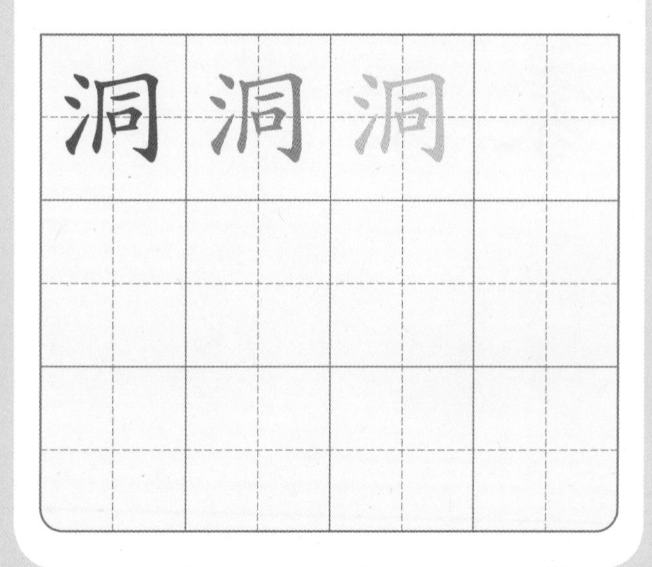

| 중국 | 里 |
|---|---|
| 일본 | 里 |

| 마을 리 : | |
|---|---|
| 里부 | 총7획 |

**글자의 유래** **밭**(田)과 **땅**(土)이 있어 사람이 살기 좋은 '**마을**'을 뜻한다.

**활용 단어**
- 里長(이장) : 한 마을의 대표.
- 千里(천리) : 아주 먼 거리. 약 400km.

• 田(밭 전) • 土(흙 토) • 千(일천 천)

필순 丨 冂 日 日 旦 甲 里

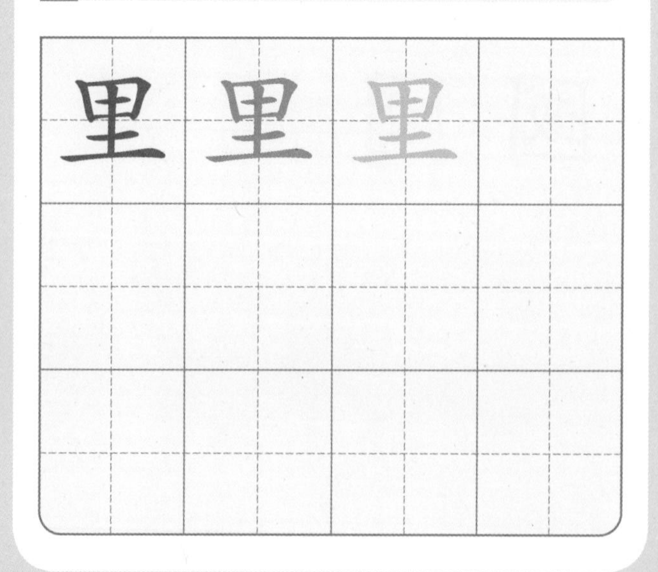

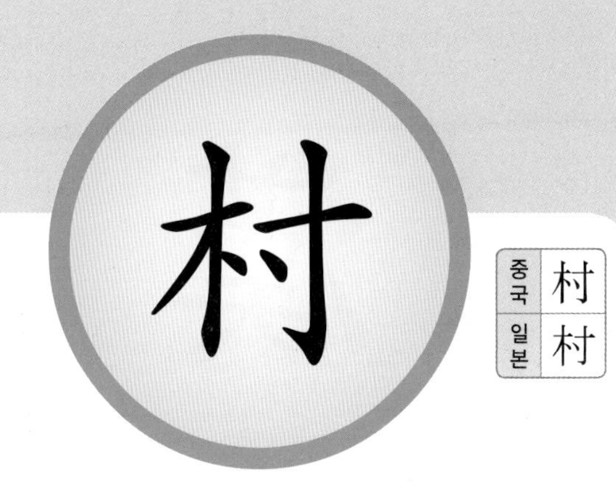

| 중국 | 村 |
|---|---|
| 일본 | 村 |

| 마을 | 촌 ː | |
|---|---|---|
| 木부 | 총7획 | |

**글자의 유래** 성 밖 **초목(木)**으로 감싸인 **법(寸)**이 있는 '**마을**'을 뜻한다. 屯(진칠 둔)자에 邑(고을 읍)을 더한 농막집을 뜻했던 '邨'(마을 촌)이 본래자이다.

**활용 단어**
- 村長(촌장) : 마을의 일을 맡아보는 어른.
- 北村(북촌) : 북쪽에 있는 마을.

• 屯(진칠 둔) • 邑(고을 읍)

필순 一 十 才 木 木 村 村

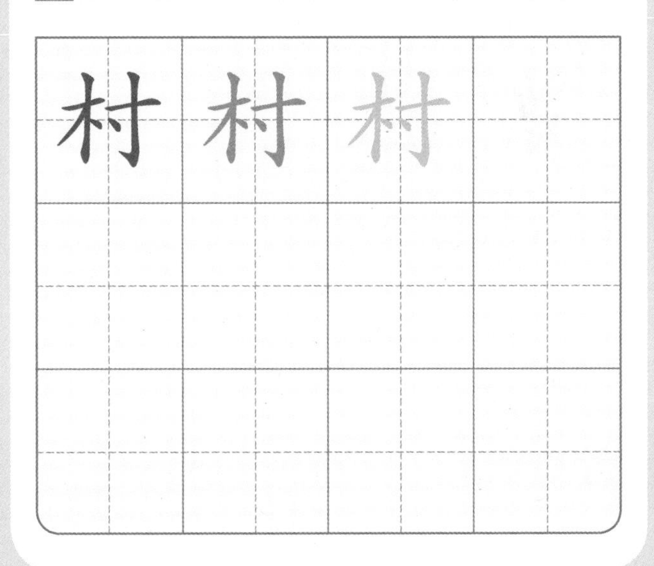

| 중국 | 邑 |
|---|---|
| 일본 | 邑 |

| 고을 | 읍 | |
|---|---|---|
| 邑부 | 총7획 | |

**글자의 유래** **성곽(口)**아래 **꿇어앉은 사람(㔾=巴)**으로, 일정한 거주지에서 '**고을**'을 뜻한다.

**활용 단어**
- 邑內(읍내) : 읍의 구역 안.
- 邑民(읍민) : 읍내에 사는 사람.

• 內(안 내) • 民(백성 민)

필순 丶 口 口 吕 吕 邑 邑

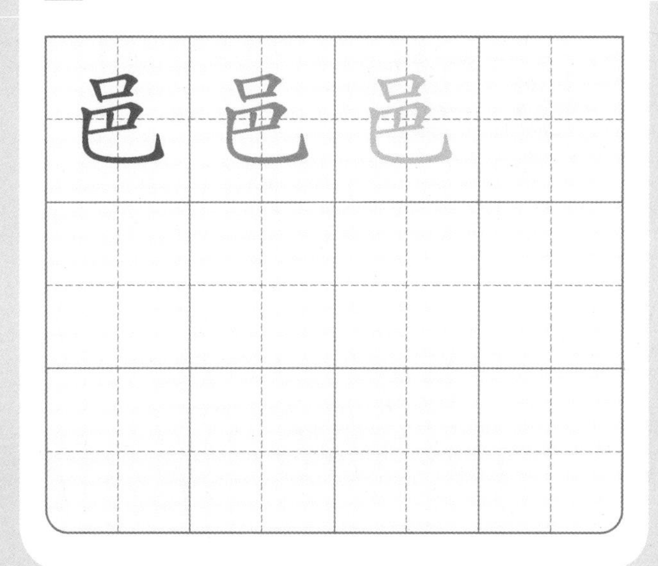

| 중국 | 韩 |
|---|---|
| 일본 | 韓 |

| 한국 나라 | 한(ː) 한(ː) | |
|---|---|---|
| 韋부 | 총17획 | |

**글자의 유래** **뜨는 해에(倝=卓) 감싸인(韋)** 아름다운 동방의 나라인 '**한국**'을 뜻한다.

**활용 단어**
- 韓國(한국) : 대한민국의 준말.
- 韓食(한식) : 한국식의 음식.

• 韋(에워쌀 위) • 國(나라 국) • 食(밥 식)

필순 一 十 古 古 直 卓 卓' 卓' 卓' 韓 韓 韓

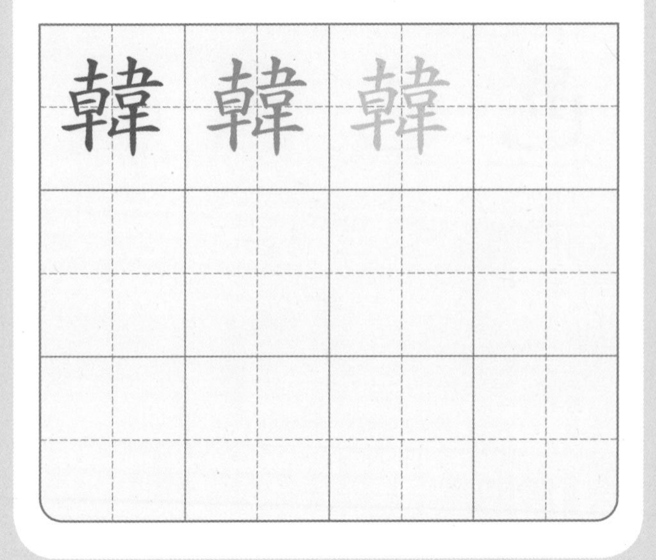

# 漢

| 중국 | 汉 |
|---|---|
| 일본 | 漢 |

| 한수 한나라 | 한ː 한ː | |
|---|---|---|
| 水부 | 총14획 | |

**글자의 유래** **강물(氵)**이 노란 **진흙(𦰩=堇)**땅을 지나는 '**한수**' 유역에서 발생한 '**한나라**'를 뜻한다.

**활용 단어**
- 漢江(한강) : 우리 나라 중부에 있는 강.
- 漢字(한자) : 중국어를 표기하는 중국 고유의 문자.

• 堇(노란진흙 근) • 江(강 강)

필순 丶 冫 氵 氵 汁 汁 泄 渞 漟 漟 漢 漢

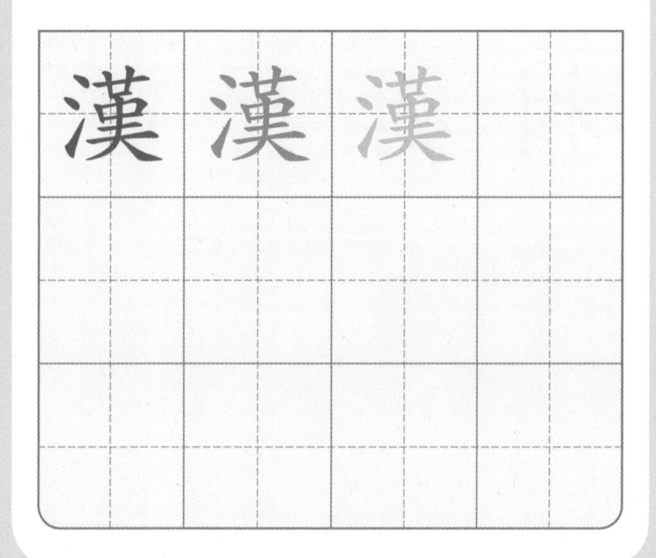

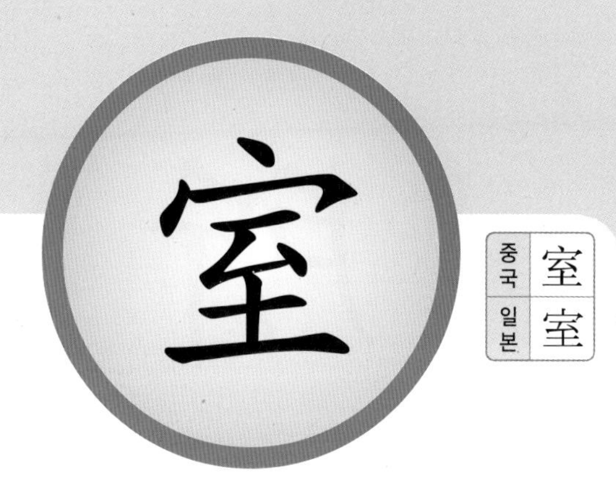

| 중국 | 室 |
|---|---|
| 일본 | 室 |

| 집 방 | 실 실 |
|---|---|
| 宀부 | 총9획 |

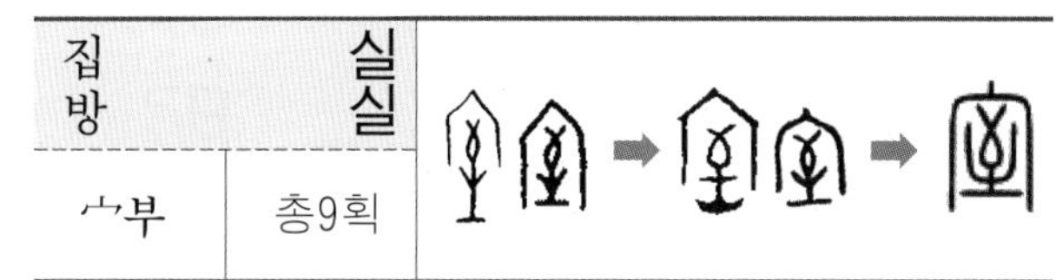

**글자의 유래** 사람이 밖에서 돌아와 **집(宀)**안에 **이르러**(至) 쉬는 방에서 '**집**' '**방**' '**아내**'를 뜻한다.

**활용 단어**
- 室內(실내) : 방 안. 집 안.
- 入室(입실) : 방에 들어감.

· 至(이를 지) · 內(안 내) · 入(들 입)

필순 丶 丷 宀 宀 宀 宀 宀 宀 室

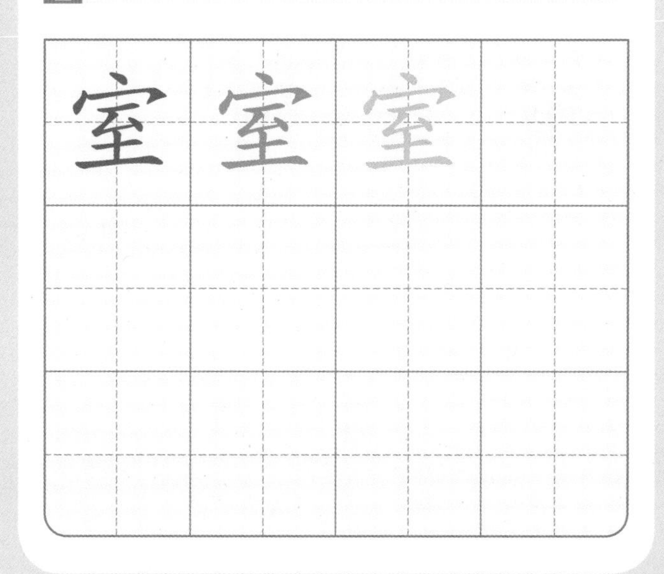

| 중국 | 门 |
|---|---|
| 일본 | 門 |

진흥 8급
검정 8급

| 문 | 문 |
|---|---|
| 門부 | 총8획 |

**글자의 유래** 한 쌍의 **문(門)**으로 대부분 '**문**' '**집안**'을 뜻한다. 한쪽 '**문**'을 나타내는 자는 戶(문 호)이다.

**활용 단어**
- 門前(문전) : 문 앞.
- 後門(후문) : 뒷문.

· 前(앞 전) · 後(뒤 후)

필순 丨 𠃌 𠃌 𠃌 門 門 門 門

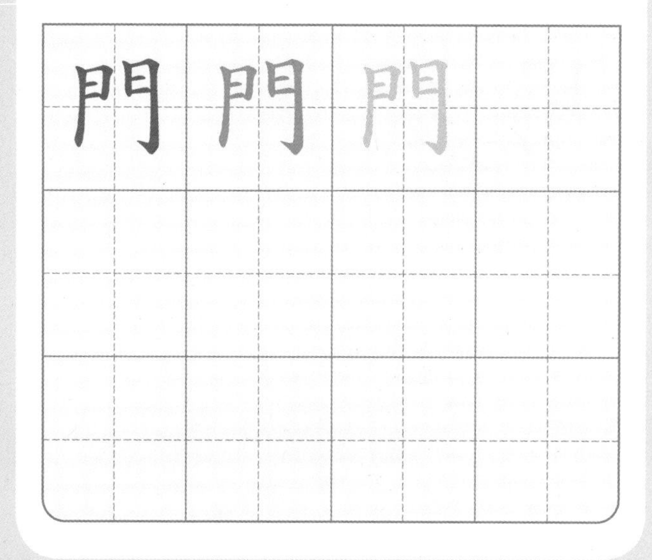

| 중국 | 场 |
|---|---|
| 일본 | 場 |

| 마당 장 | | 古文字 → 場 |
|---|---|---|
| 土부 | 총12획 | |

**글자의 유래** 경작하지 않는 **땅(土)**인 **햇볕(昜)**이 잘 드는 '**마당**'을 뜻한다.

**활용 단어**
- 場面(장면) : 어떤 장소에서 벌어진 광경.
- 場所(장소) : 무엇이 있는 자리나 무엇을 하는 자리.

· 土(흙 토) · 面(낯 면) · 所(바 소)

필순 一 十 土 圠 圢 坦 坦 埕 埸 場 場 場

# 所

| 중국 | 所 |
|---|---|
| 일본 | 所 |

| 바 소: | | 古文字 → 所 |
|---|---|---|
| 戶부 | 총8획 | |

**글자의 유래** 벌목 때 살던 **집(戶)**으로 **도끼(斤)** 두고 쉬던 '**곳**'에서 '**바**'를 뜻한다.

**활용 단어**
- 所重(소중) : 매우 귀중함.
- 住所(주소) : 생활하며 머물러 사는 곳.

· 斤(도끼 근) · 重(무거울 중)

필순 ㇒ 𠂆 戶 戶 所 所 所 所

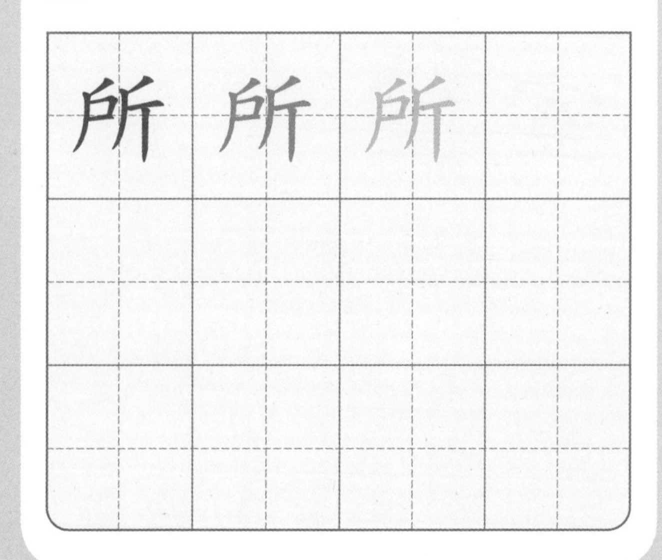

| 중국 | 安 |
|---|---|
| 일본 | 安 |

| 편안 | 안 |
|---|---|
| 宀부 | 총6획 |

**글자의 유래** 힘든 밖의 일보다 **집(宀)**안 일을 하는 **노예(女)**나 **여자(女)**에서 **'편안함'**을 뜻한다.

**활용 단어**
- 安全(안전) : 위험하지 않음.
- 安心(안심) : 마음을 편히 가짐.

· 全(온전 전) · 心(마음 심)

필순 丶 丶 宀 宄 安 安

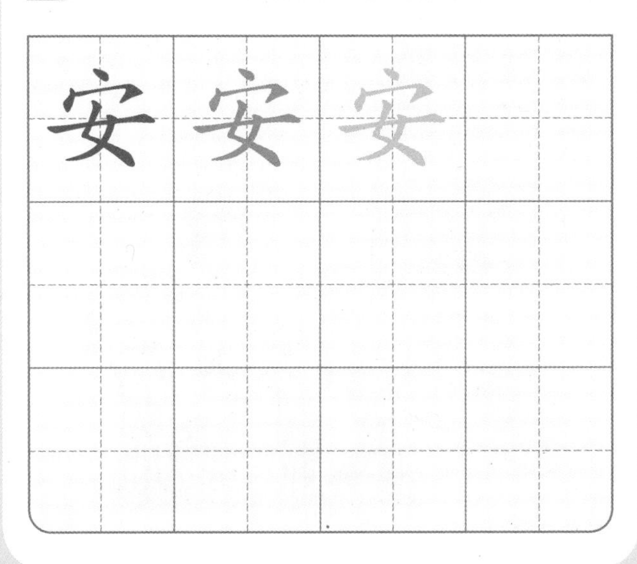

| 중국 | 军 |
|---|---|
| 일본 | 軍 |

| 군사 | 군 |
|---|---|
| 車부 | 총9획 |

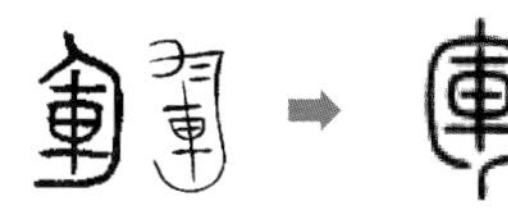

**글자의 유래** **둘러싸고(勻=勹=冖) 수레(車)**를 호위하는 **'군사' '군대'**를 뜻한다.

**활용 단어**
- 軍人(군인) : 군대에 소속된 사람.
- 國軍(국군) : 우리 나라의 군대.

· 車(수레 거) · 勻(적을 균) · 國(나라 국)

필순 丶 冖 冖 冖 冒 冒 冒 宣 軍

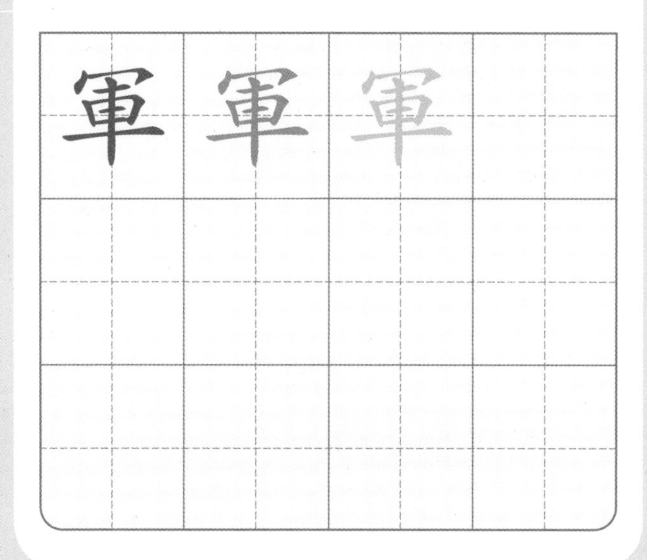

| 중국 | 王 |
|---|---|
| 일본 | 王 |

진흥 8급

| 임금 | 왕 |
|---|---|
| 玉부 | 총4획 |

글자의 유래 넓적하고 큰 자루를 끼지 않은 **도끼 모양**(王)으로 권력을 상징하여 '**왕**'을 뜻한다. 변에 '王'이 있으면 '玉(옥)'의 변형이다.

활용 단어
- 王子(왕자) : 임금의 아들.
- 國王(국왕) : 나라의 임금.

• 子(아들 자) • 國(나라 국)

필순 一 二 千 王

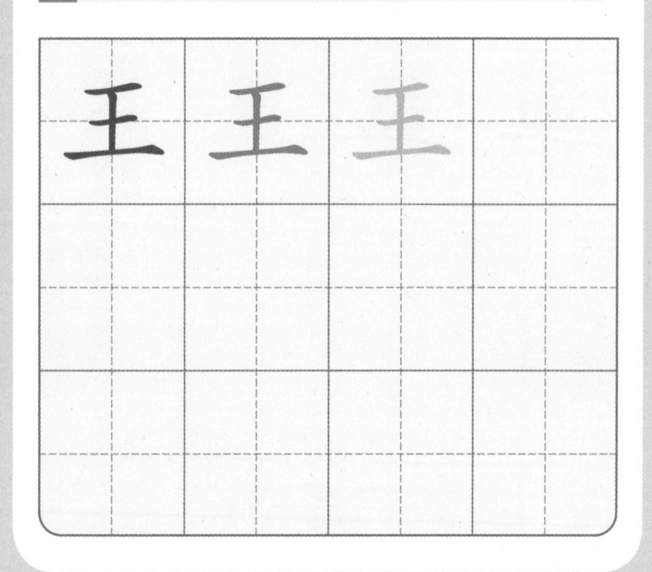


## 사자성어

**八道江山** 팔도강산

✣ 우리 나라 전국의 강과 산수를 이르는 말이다.

**世上萬事** 세상만사

✣ 세상에서 일어나는 만 가지 일이라는 뜻으로, 세상에서 일어나는 온갖 일을 가리킨다.

**公共場所** 공공장소

✣ 여러 사람이 함께 이용하도록 만든 공원, 도서관, 영화관 등과 같은 장소를 말한다.

# 확인 학습 문제

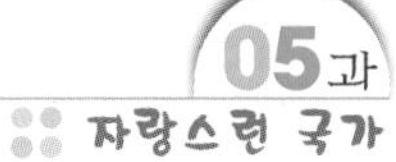


**1** 다음 漢字(한자)의 訓(훈)과 音(음)을 쓰세요.

(1) 國 [ ]　(2) 家 [ ]　(3) 洞 [ ]
(4) 里 [ ]　(5) 村 [ ]　(6) 邑 [ ]
(7) 韓 [ ]　(8) 漢 [ ]　(9) 室 [ ]
(10) 門 [ ]　(11) 場 [ ]　(12) 所 [ ]
(13) 安 [ ]　(14) 軍 [ ]　(15) 王 [ ]

**2** 다음 漢字語(한자어)의 讀音(독음)을 쓰세요.

(1) 國家 [ ]　(2) 家長 [ ]　(3) 洞長 [ ]
(4) 千里 [ ]　(5) 北村 [ ]　(6) 邑民 [ ]
(7) 韓食 [ ]　(8) 漢字 [ ]　(9) 室內 [ ]
(10) 門前 [ ]　(11) 場面 [ ]　(12) 住所 [ ]
(13) 安全 [ ]　(14) 軍人 [ ]　(15) 王國 [ ]

**3** 다음 漢字語(한자어)의 뜻을 쓰세요.

(1) 安心 : (　　　　　　　　　　)
(2) 室內 : (　　　　　　　　　　)
(3) 家長 : (　　　　　　　　　　)

**4** 다음 訓(훈)과 音(음)에 맞는 漢字(한자)를 例(예)에서 찾아 그 기호를 쓰세요.

例(예)
㉠ 國 ㉡ 家 ㉢ 洞 ㉣ 里 ㉤ 村
㉥ 邑 ㉦ 韓 ㉧ 漢 ㉨ 場 ㉩ 安

(1) 골 동 [ ]
(2) 나라 국 [ ]
(3) 마을 촌 [ ]
(4) 한국 한 [ ]
(5) 집 가 [ ]
(6) 마을 리 [ ]
(7) 고을 읍 [ ]
(8) 한수 한 [ ]
(9) 마당 장 [ ]
(10) 편안 안 [ ]

**5** 다음 漢字(한자)와 뜻이 비슷한 漢字(한자)를 例(예)에서 찾아 그 기호를 쓰세요.

例(예)
㉠ 里 ㉡ 村 ㉢ 安

(1) 洞 = [ ]
(2) [ ] = 邑
(3) [ ] = 全

**6** 다음 (  ) 속에 알맞은 漢字(한자)를 例(예)에서 찾아 그 기호를 쓰세요.

例(예)
㉠ 室 ㉡ 家 ㉢ 村

(1) 草(  ) : 볏짚이나 갈대 따위로 이엉을 엮어 지붕을 만든 집.
(2) (  )長 : 마을의 일을 맡아보는 어른.
(3) 入(  ) : 방에 들어감.

| 중국 | 前 |
| --- | --- |
| 일본 | 前 |

| 앞 전 | |
| --- | --- |
| 刀부 | 총9획 |

**글자의 유래** 제사 전에 **발(止=䒑)**을 **그릇(舟=月)**에 '**먼저**' 씻음에서 '**앞**'을 뜻한다.

**활용 단어**
- 前面(전면) : 앞쪽 면.
- 前生(전생) : 이 세상에 태어나기 이전의 세상.

· 面(낯 면) · 生(날 생) · 止(그칠 지)

필순 丶 丷 䒑 广 亣 前 前 前 前

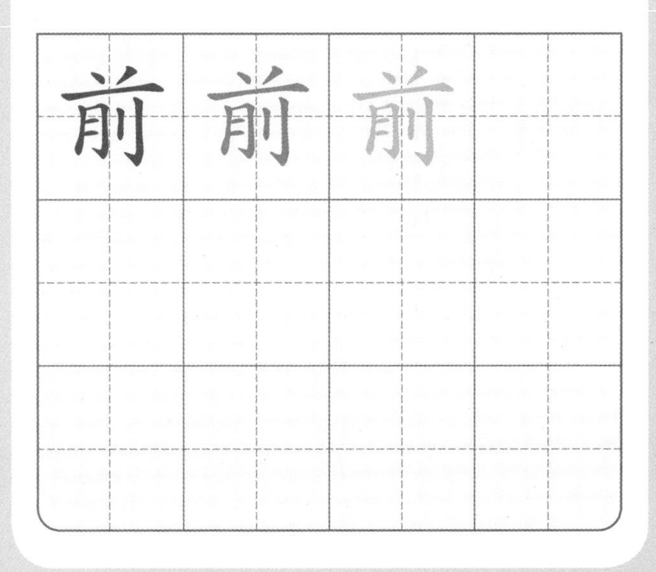

| 중국 | 后 |
| --- | --- |
| 일본 | 後 |

| 뒤 후ː | |
| --- | --- |
| 彳부 | 총9획 |

**글자의 유래** 죄수가 **걷는(彳)**데 발이 **끈(糸=幺)**에 묶여 **뒤처짐(夂)**에서 '**뒤**'를 뜻한다.

**활용 단어**
- 後方(후방) : 뒤쪽에 있는 곳.
- 食後(식후) : 밥을 먹은 뒤.

· 方(모 방) · 食(밥 식)

필순 丿 彡 彳 彳 彳 彳 彳 後 後

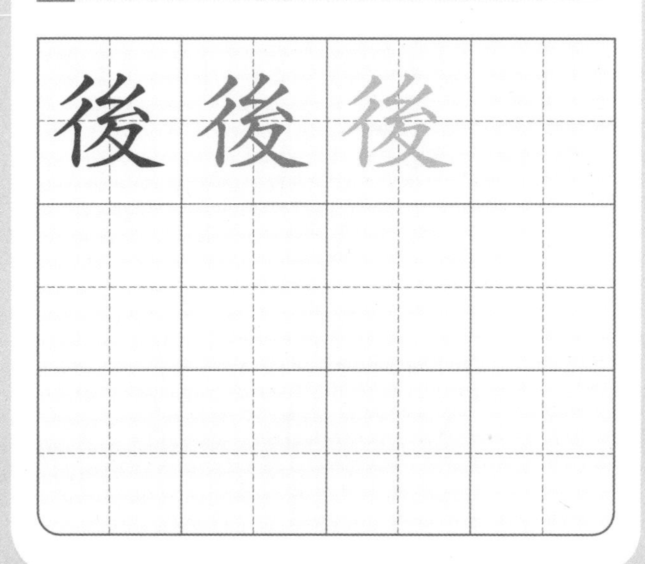

| 중국 | 左 |
|---|---|
| 일본 | 左 |

검정 7급

| 왼(쪽) | 좌ː |
|---|---|
| 工부 | 총5획 |

**글자의 유래** **왼손**(ナ)으로 **도구**(工)를 잡고 일을 **돕던** 데서 '**왼쪽**'을 뜻한다.

**활용 단어**
- 左右(좌우) : 왼쪽과 오른쪽.
- 左方(좌방) : 왼쪽.

· 工 (장인 공) · 右 (오른 우) · 方 (모 방)

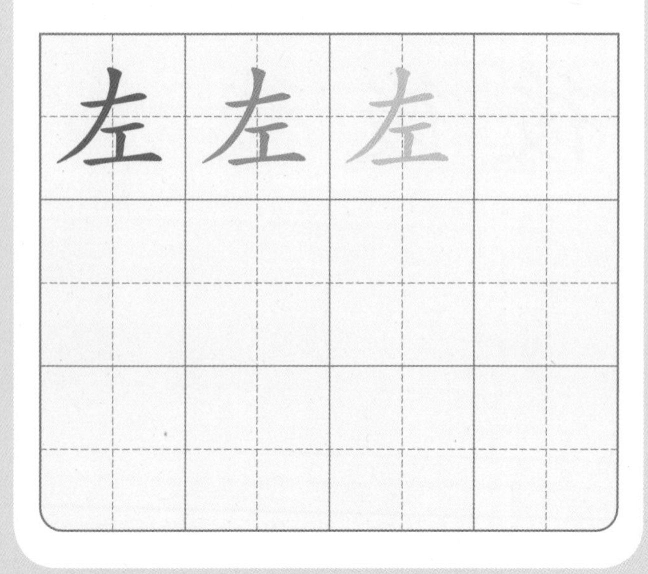

필순 一 ナ 𠂇 左 左

左 左 左

| 중국 | 右 |
|---|---|
| 일본 | 右 |

검정 7급

| 오른(쪽) | 우ː |
|---|---|
| 口부 | 총5획 |

**글자의 유래** **오른손**(又)이 **왼쪽**(ナ)으로 방향이 바뀌고 **口**(구)를 더해 말로 '**돕다**'의 뜻이었으나, 후에 '**오른쪽**'을 나타냈다

**활용 단어**
- 右便(우편) : 오른쪽.
- 右中間(우중간) : 우측 중간(야구 용어).

· 便 (편할 편) · 中 (가운데 중) · 間 (사이 간)

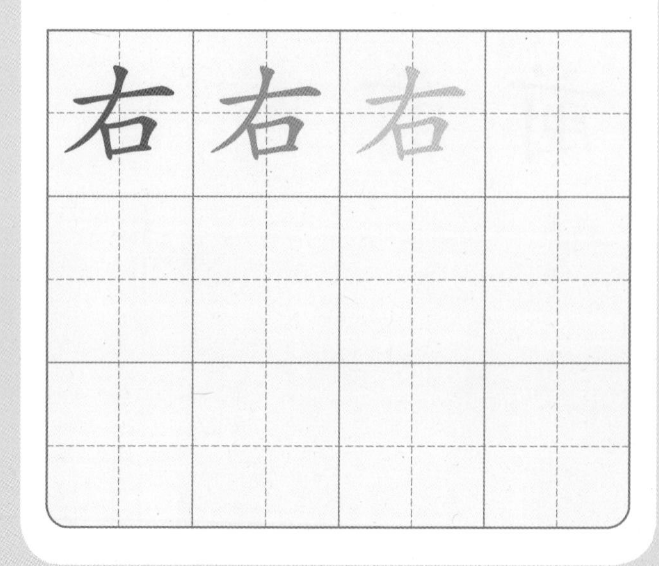

필순 ノ ナ 𠂇 右 右

右 右 右

| 중국 | 内 |
|---|---|
| 일본 | 内 |

검정 7급

| 안 | 내ː | 冂内 ➡ 冂入 ➡ 内 |
|---|---|---|
| 入부 | 총4획 | |

글자의 유래 **집(冂)**안으로 **들어가는(入)** 데서 **'안' '속'**을 뜻한다.

활용 단어
- **内心**(내심) : 속마음.
- **内面**(내면) : 안쪽. 정신적인 면.

· 入(들 입) · 心(마음 심) · 面(낯 면)

필순 丨 冂 冂 内

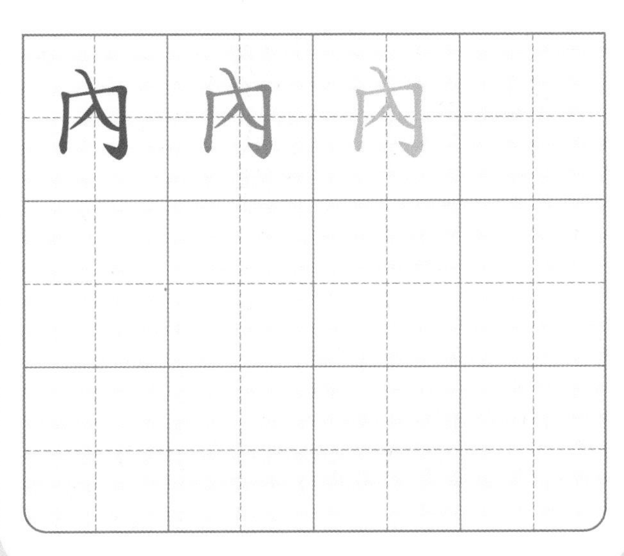

| 중국 | 外 |
|---|---|
| 일본 | 外 |

검정 7급

| 바깥 | 외ː | 卜 ➡ 外 外 ➡ 外 |
|---|---|---|
| 夕부 | 총5획 | |

글자의 유래 **저녁(夕)**에 밖에서 **점(卜)**치는 데서 **'바깥'**을 뜻한다.

활용 단어
- **外出**(외출) : 밖으로 일보러 나감.
- **外國**(외국) : 자기 나라 이외의 다른 나라.

· 出(날 출) · 國(나라 국)

필순 ノ ク 夕 夘 外

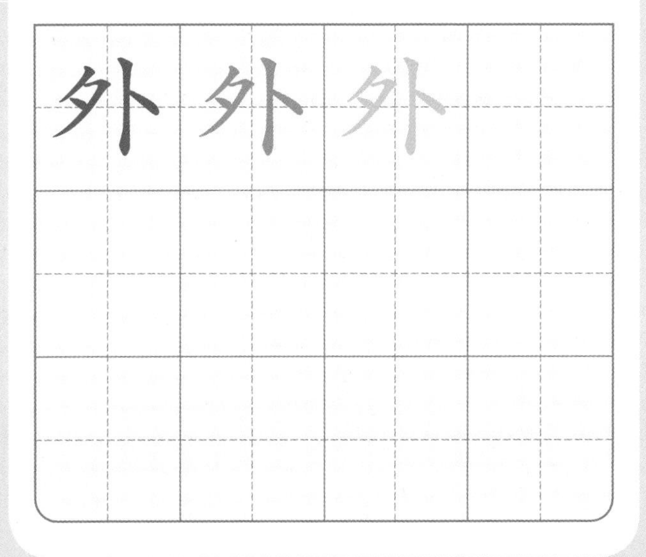

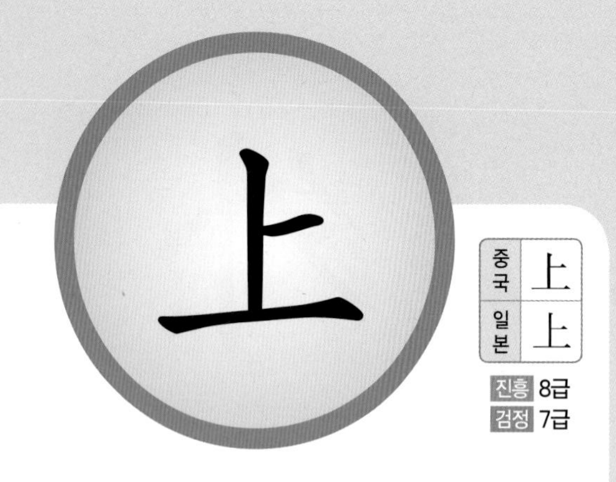


| 중국 | 上 |
|---|---|
| 일본 | 上 |

진흥 8급
검정 7급

| 윗 | 상ː | |
|---|---|---|
| 一부 | 총3획 | |

## 글자의 유래
기준선(一) 보다 위(⼘)에 있음에서 '위'를 나타낸다.

## 활용 단어
- 海上(해상) : 바다 위.
- 天上(천상) : 하늘 위.

• 海(바다 해) • 天(하늘 천)

필순 丨 ⼘ 上

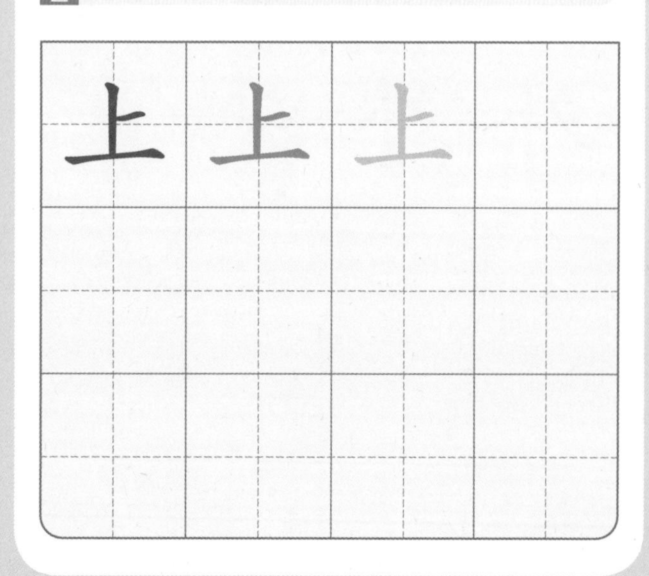

| 중국 | 中 |
|---|---|
| 일본 | 中 |

진흥 8급
검정 7급

| 가운데 | 중 | |
|---|---|---|
| 丨부 | 총4획 | |

## 글자의 유래
거주지(口) 중앙에 세운 깃대(丨)에서 '가운데'를 뜻한다.

## 활용 단어
- 中間(중간) : 두 사물이나 현상의 사이.
- 中心(중심) : 한가운데.

• 間(사이 간) • 心(마음 심)

필순 丨 ㄇ 口 中

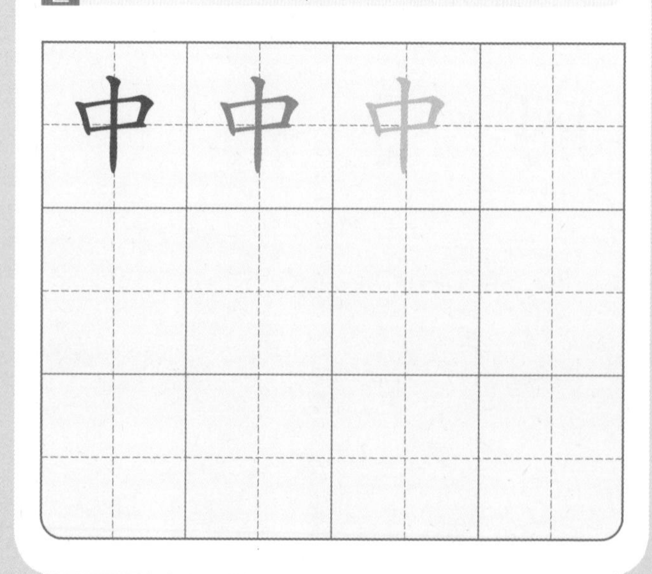

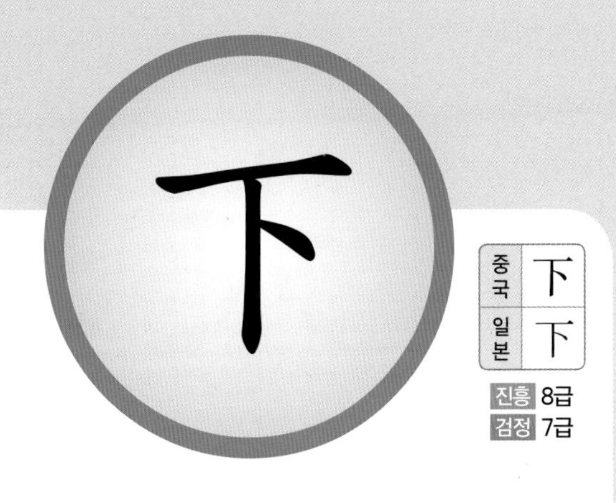

| 중국 | 下 |
|---|---|
| 일본 | 下 |

진흥 8급
검정 7급

| 아래 | 하 ː |
|---|---|
| 一부 | 총3획 |

**글자의 유래** **기준선**(一) 보다 낮은 **아래**(卜)에 있음에서 '**아래**'를 나타낸다.

**활용 단어**
- 上下(상하) : 위아래. 윗사람과 아랫사람.
- 下校(하교) : 학교에서 돌아옴.

· 上(윗 상) · 校(학교 교)

필순 一 丅 下

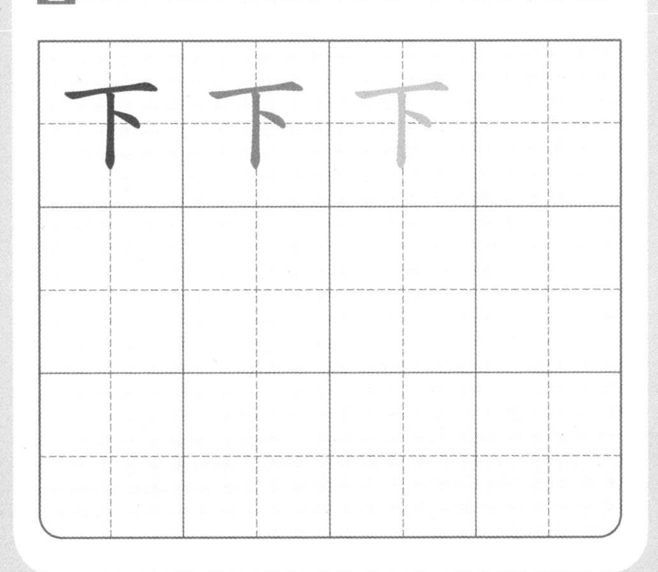

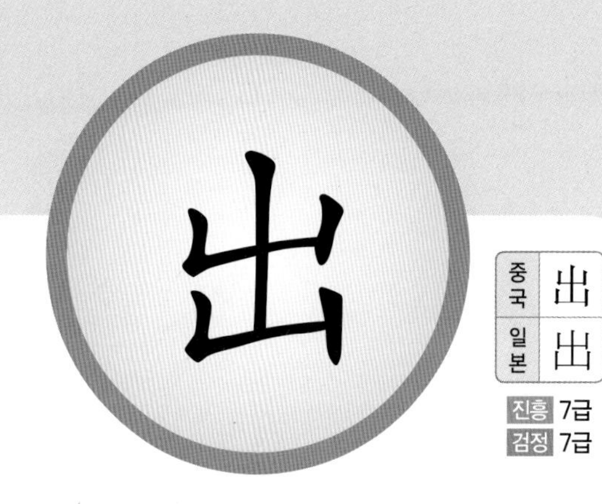

| 중국 | 出 |
|---|---|
| 일본 | 出 |

진흥 7급
검정 7급

| 날 | 출 |
|---|---|
| 凵부 | 총5획 |

**글자의 유래** 땅을 파고 지은 **움집**(凵)에서 **발**(止=屮)이 밖으로 나가는 데서 '**나옴**' '**나감**'을 뜻한다.

**활용 단어**
- 出生(출생) : 세상에 태어남.
- 出口(출구) : 나가는 통로.

· 生(날 생) · 口(입 구)

필순 丨 ㇄ 屮 出 出

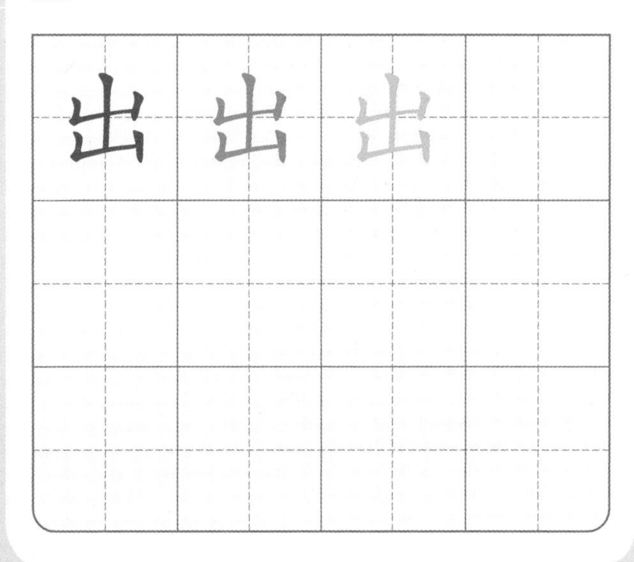

| 중국 | 入 |
|---|---|
| 일본 | 入 |

진흥 7급
검정 7급

| 들 입 | |
|---|---|
| 入부 | 총2획 |

**글자의 유래** 갈라진 뿌리가 땅 속으로 **들어가는** 모양, 또는 움집에 **'들어감'**을 뜻한다.

**활용 단어**
- 入門(입문) : 배우는 길에 들어감.
- 入場(입장) : 회의장, 경기장 등에 들어감.

· 門(문 문) · 場(마당 장)

필순 ノ 入

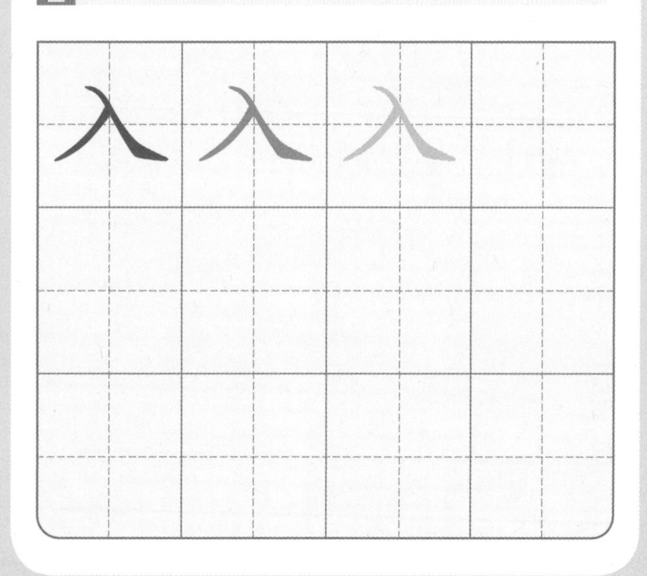

| 중국 | 大 |
|---|---|
| 일본 | 大 |

검정 7급

| 큰 대(ː) | |
|---|---|
| 大부 | 총3획 |

**글자의 유래** **양팔**(一)을 벌리고 **우뚝 선 사람**(人)에서 **'크다'**란 뜻이 된다.

**활용 단어**
- 大門(대문) : 큰 문. 집의 정문.
- 大人(대인) : 어른. 성인. 덕이 높은 사람.

· 門(문 문) · 人(사람 인)

필순 一 ナ 大

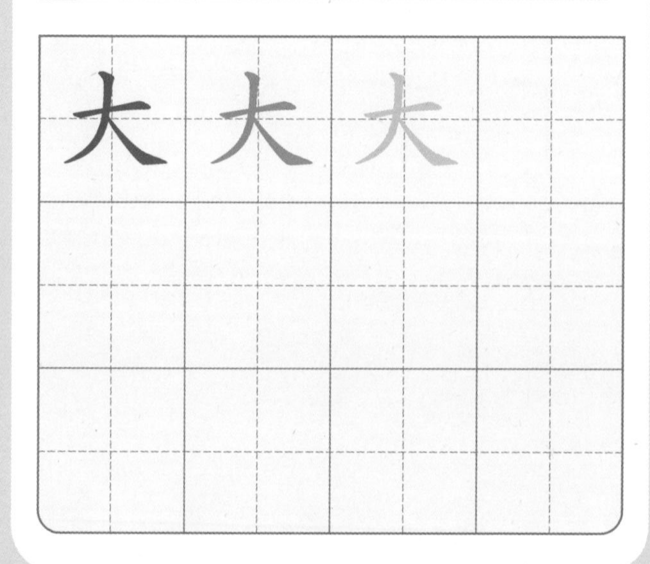

| 중국 | 小 |
| --- | --- |
| 일본 | 小 |

진흥 8급
검정 7급

| 작을 | 소: | |
| --- | --- | --- |
| 小부 | 총3획 | |

**글자의 유래** **작은 물건**(小)을 뜻하며, '**작고**' '**적음**'을 뜻한다.

**활용 단어**
- 小便(소변) : 오줌.
- 小國(소국) : 작은 나라.

· 便(똥오줌 변) · 國(나라 국)

필순 亅 小 小

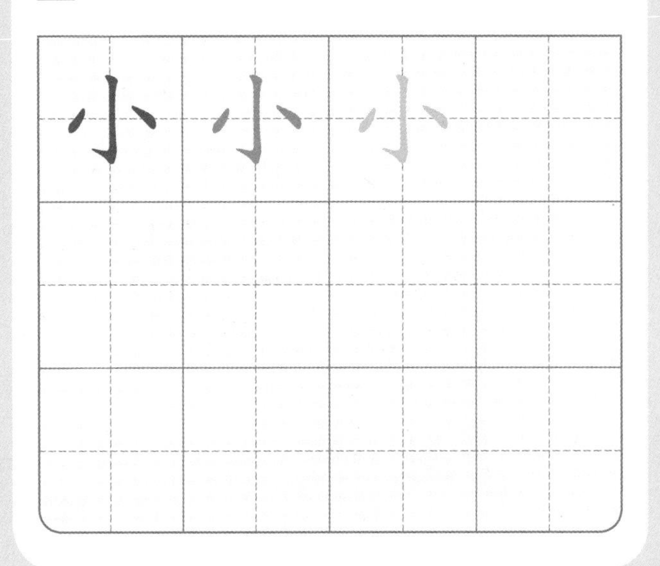

| 중국 | 平 |
| --- | --- |
| 일본 | 平 |

| 평평할 | 평 | |
| --- | --- | --- |
| 干부 | 총5획 | |

**글자의 유래** **방패**(干)같은 잎이 사방으로 **나뉘어**(八) 물위에 떠다니는 개구리밥 즉 '**부평초**'에서 '**평평함**'을 뜻한다.

**활용 단어**
- 平面(평면) : 평평한 표면.
- 平生(평생) : 사람이 사는 일생.

· 秤(저울 칭) · 面(낯 면) · 生(날 생)

필순 一 丆 亠 亣 平

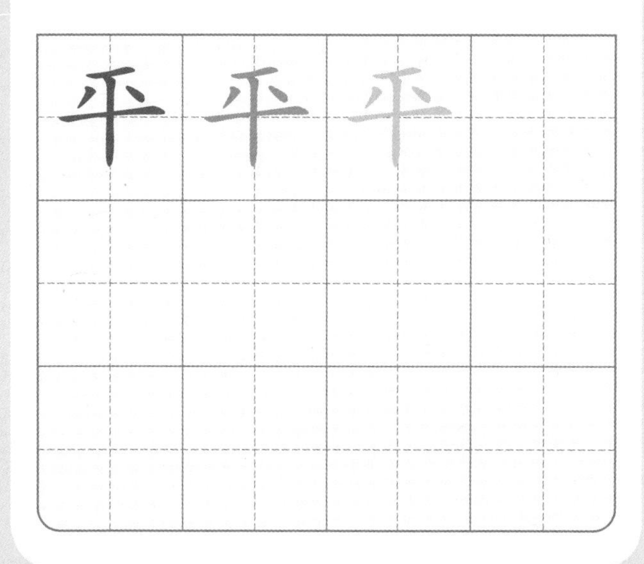

중국 方
일본 方

| 모 | 방 |
|---|---|
| 方부 | 총4획 |

**글자의 유래** 쟁기나, **형틀**(⊢⊣)에 묶인 사방의 **이방인**에서, '**모**' '**방향**'을 뜻한다. 쟁기나 통나무배의 모양이라고 한다.

**활용 단어**
- 四方(사방) : 동·서·남·북의 네 방향.
- 方面(방면) : 어떤 방향의 지역.

·四(넉 사) ·面(낯 면)

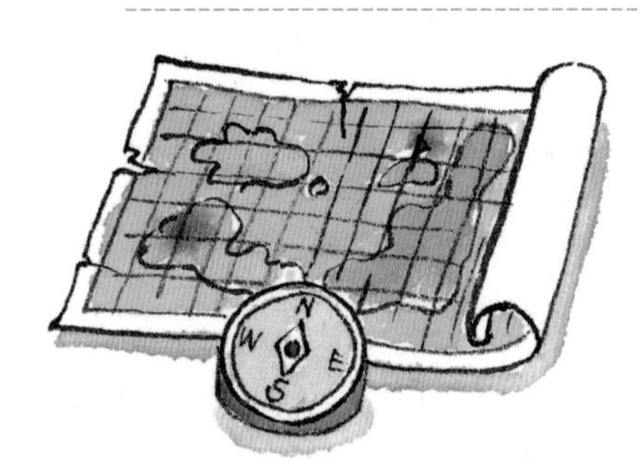

필순 丶 亠 亡 方

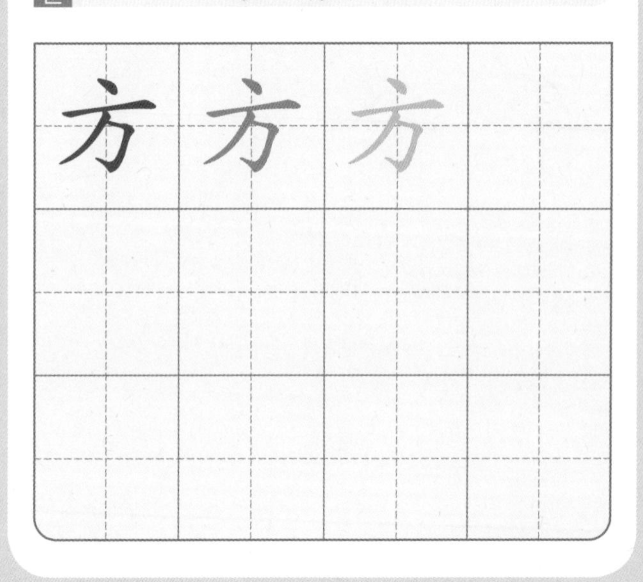

## 사자성어

**前後左右** 전후좌우

❖ 앞과 뒤, 왼쪽과 오른쪽이란 뜻으로, 모든 방향인 '사방'을 뜻한다.

**大同小異** 대동소이

❖ 크게 보면 같고 작게 보면 다르다는 뜻으로, '거의 비슷하다' '그게 그것'이라는 의미로 쓰인다.

**百發百中** 백발백중

❖ 백 번 쏘아 백 번 모두 맞힌다는 뜻으로, 계획한 일이 들어 맞거나 하는 일마다 하나도 실패 없이 잘됨을 뜻한다.

# 확인 학습 문제



**1** 다음 漢字(한자)의 訓(훈)과 音(음)을 쓰세요.

보기 | 音 | 소리 음

(1) 前 (2) 後 (3) 左

(4) 右 (5) 內 (6) 外

(7) 上 (8) 中 (9) 下

(10) 出 (11) 入 (12) 大

(13) 小 (14) 平 (15) 方

**2** 다음 漢字語(한자어)의 讀音(독음)을 쓰세요.

(1) 前生 (2) 食後 (3) 左方

(4) 右便 (5) 內心 (6) 外出

(7) 海上 (8) 中間 (9) 下校

(10) 出生 (11) 入場 (12) 大門

(13) 小國 (14) 平生 (15) 四方

**3** 다음 漢字語(한자어)의 뜻을 쓰세요.

(1) 出生 : (                    )

(2) 外出 : (                    )

(3) 食後 : (                    )

**4** 다음 밑줄 친 漢字語(한자어)의 讀音(독음)을 쓰세요.

(1) 태어나기 이전 세상을 前生이라고 한다. ( )
(2) 食後에 바로 누우면 건강에 해롭다. ( )
(3) 섬은 前後左右가 모두 바다로 둘러싸여 있다. ( )
(4) 부부를 內外라고도 한다. ( )
(5) 해군은 海上을 다니며 바다를 지킨다. ( )
(6) 우리 집은 학교와 우체국의 中間에 있다. ( )
(7) 가면 무도회에는 모두 가면을 쓰고 入場한다. ( )
(8) 요즈음은 平面 TV가 인기가 많다. ( )
(9) 내 친구는 여러 方面에 재주가 많다. ( )

**5** 다음 漢字(한자)와 상대·반대되는 漢字(한자)를 例(예)에서 찾아 그 기호를 쓰세요.

例(예) ㉠ 入 ㉡ 上 ㉢ 內 ㉣ 後

(1) 前 ⟷ [ ]
(2) 出 ⟷ [ ]
(3) [ ] ⟷ 下
(4) [ ] ⟷ 外

**6** 다음( ) 속에 알맞은 漢字(한자)를 例(예)에서 찾아 그 기호를 쓰세요.

例(예) ㉠ 出 ㉡ 外 ㉢ 上

(1) ( )國 : 자기 나라 이외의 나라.
(2) 天( ) : 하늘 위.
(3) ( )口 : 나가는 통로.

| 중국 | 教 |
|---|---|
| 일본 | 教 |

| 가르칠 교 | |
|---|---|
| 攴부 | 총11획 |

**글자의 유래** 독립할 집을 **엮는(爻) 아이(子)**를 잘 다스려(攵) '**가르침**'을 뜻한다. 산가지(爻)를 들고 셈하는 아이(子)를 다스려(攴=攵) 가르친다고도 한다.

**활용 단어**
- 教室(교실) : 수업에 쓰이는 방.
- 教生(교생) : 교육 실습을 하는 학생.

· 爻(점괘 효) · 室(집 실) · 生(날 생)

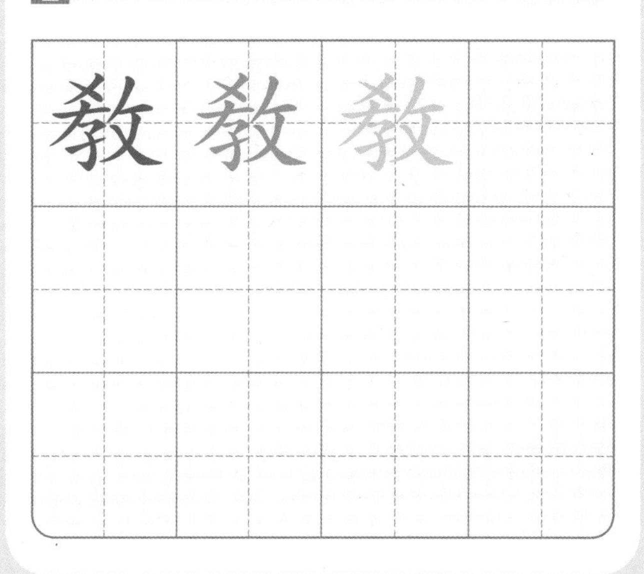

필순 丿 㐅 ⺷ 耂 孝 ... 教

教 教 教

| 중국 | 育 |
|---|---|
| 일본 | 育 |

| 기를 육 | |
|---|---|
| 肉부 | 총8획 |

**글자의 유래** 毓(기를육)의 약자로, **거꾸로(𠫓)** 나은 아이의 **몸(肉=月)**이 자람에서, '**기름**'을 뜻한다.

**활용 단어**
- 生育(생육) : 생물이 나서 자람.
- 教育(교육) : 지식을 가르치고 품성과 체력을 기름.

· 生(날 생) · 教(가르칠 교)

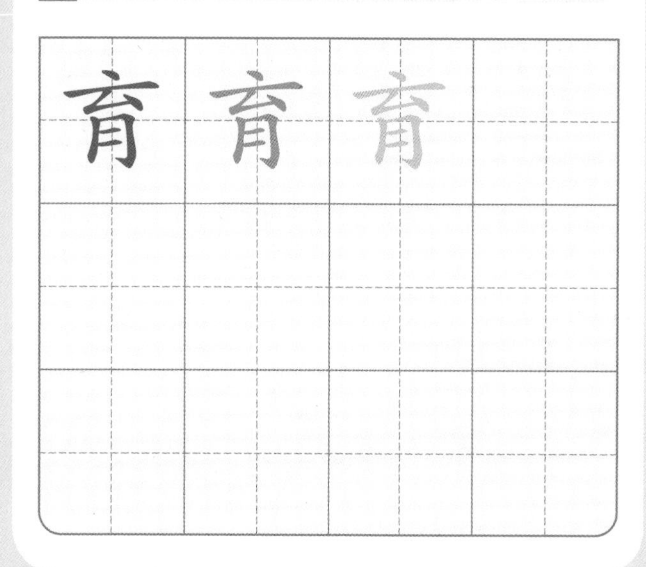

필순 丶 亠 𠫓 𠫓 产 育 育 育

育 育 育

| 중국 | 学 |
|---|---|
| 일본 | 学 |

| 배울 학 | |
|---|---|
| 子부 | 총16획 |

**글자의 유래** **두 손(臼)**으로 줄을 **엮어(爻)** 독립하여 살아갈 **집(宀=冖)** 짓는 법을 **아이(子)**가 '**배움**'을 뜻한다.

**활용 단어**
- 學生(학생) : 학교에서 공부하는 사람.
- 學校(학교) : 일정한 교육 목표 아래 교육하는 기관.

• 生(날 생) • 校(학교 교)

필순 ˊ ᅵ ⺊ ⺊ 𦥑 ... 學 學

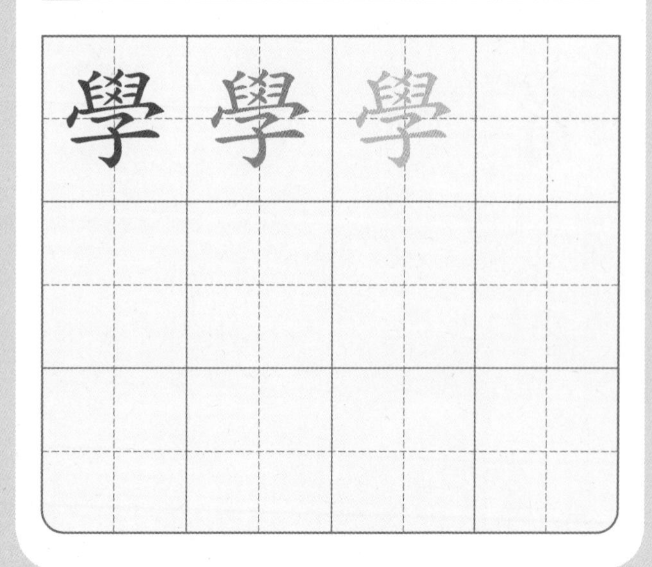

| 중국 | 校 |
|---|---|
| 일본 | 校 |

| 학교 교ː | |
|---|---|
| 木부 | 총10획 |

**글자의 유래** **나무(木)**를 **엇갈려(交)** 만든 죄인을 묶어두는 '**형틀**'로, 지금은 사람을 '**바로잡아**' 주는 '**학교**'로도 쓰인다.

**활용 단어**
- 校長(교장) : 학교를 대표하는 사람.
- 校門(교문) : 학교의 정문.

• 交(사귈 교) • 長(긴 장) • 門(문 문)

필순 一 十 才 木 木' 木ˊ 杧 杧 校 校

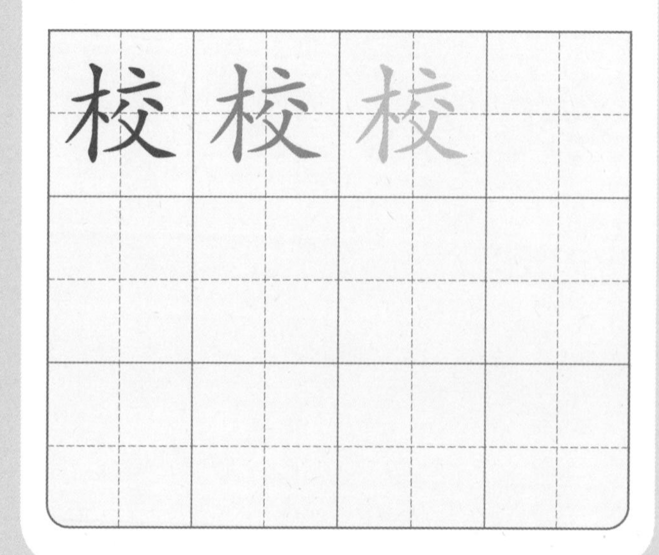

중국 先
일본 先

| 먼저 | 선 |
| --- | --- |
| 儿부 | 총6획 |

글자의 유래 **발**(止=⺧)이 먼저 앞서간(⺈) **사람**(儿)에서 '**먼저**'를 뜻한다.

활용 단어
- 先手(선수) : 남보다 먼저 손을 쓰는 일.
- 先生(선생) : 가르치는 사람.

• 手(손 수) • 生(날 생)

필순 丿 𠂉 𠂉 ⺧ 屰 先

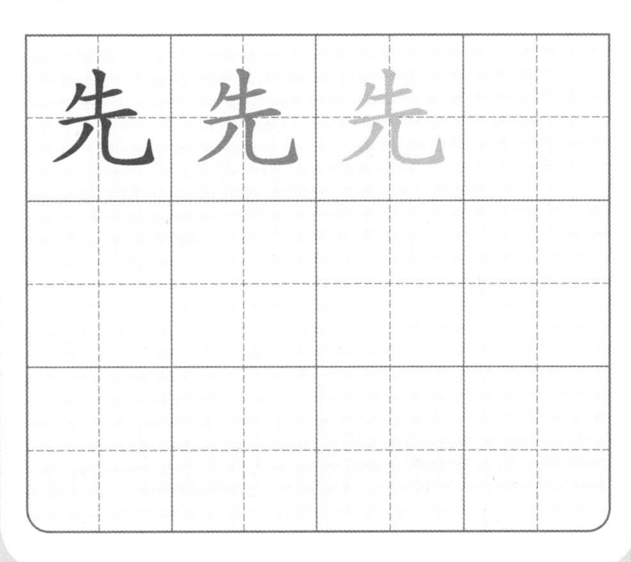

중국 生
일본 生

진흥 7급

| 날 | 생 |
| --- | --- |
| 生부 | 총5획 |

글자의 유래 **초목**(屮=牛)이 **땅**(一)에서 싹터 **자람**에서 '**낳다**' '**살다**'를 뜻한다.

활용 단어
- 生日(생일) : 태어난 날.
- 生長(생장) : 나서 자라거나 큼.

• 日(날 일) • 長(긴 장)

필순 丿 𠂉 𠂉 牛 生

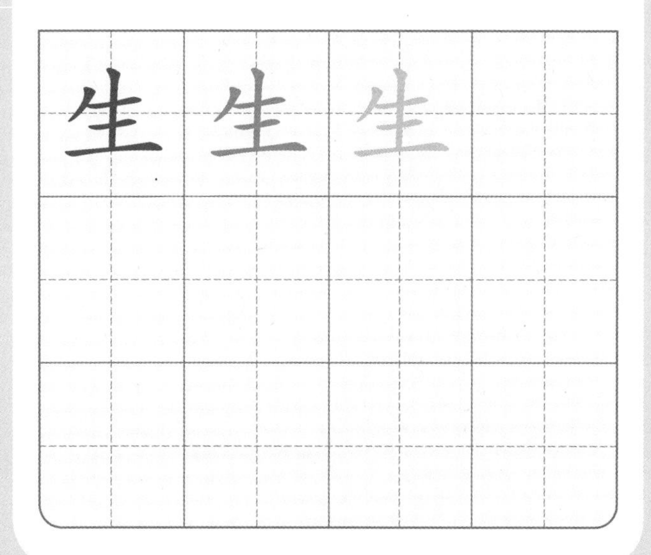

| 중국 | 文 |
|---|---|
| 일본 | 文 |

| 글월 문 | |
|---|---|
| 文부 | 총4획 |

글자의 유래 몸에 '**문신**'을 한 모양으로, '**무늬**' '**글월**' 등을 뜻한다.

활용 단어
- 文人(문인) : 문예 창작에 종사하는 사람.
- 文學(문학) : 사람의 마음을 문자로 나타내는 예술 및 그 작품.

· 人(사람 인) · 學(배울 학)

필순 丶 亠 ナ 文

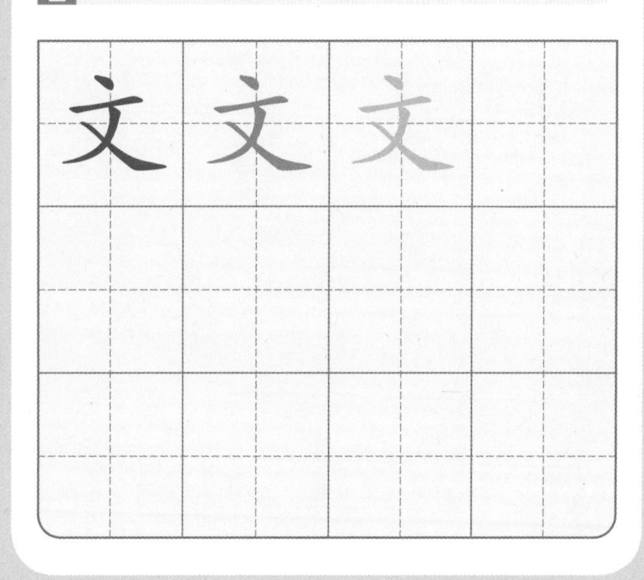

| 중국 | 字 |
|---|---|
| 일본 | 字 |

| 글자 자 | |
|---|---|
| 子부 | 총6획 |

글자의 유래 **집**(宀)에서 **아이**(子)가 생겨나듯, 계속 생겨나는 '**글자**'를 뜻한다.

활용 단어
- 文字(문자) : 글자.
- 國字(국자) : 나라 글자.

· 子(아들 자) · 文(글월 문) · 國(나라 국)

필순 丶 丶 宀 宀 字 字

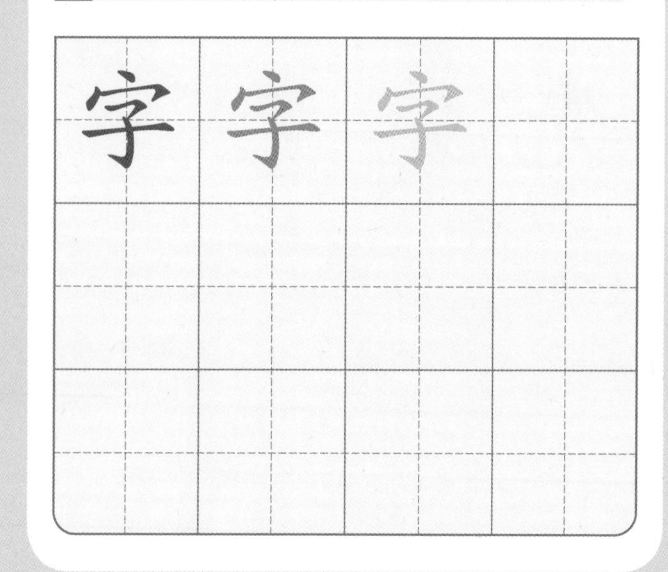

| 중국 | 直 |
|---|---|
| 일본 | 直 |

| 곧을 직 | |
|---|---|
| 目부 | 총8획 |

글자의 유래 곧은(丨=十) 도구를 눈(目)에 대고 직각(L)으로 '곧게' 그림을 뜻한다.

활용 단어
- 直立(직립) : 똑바로 섬.
- 直後(직후) : 바로 그 뒤.

・目(눈 목) ・立(설 립) ・後(뒤 후)

필순 一 十 𠂇 冇 有 有 直 直

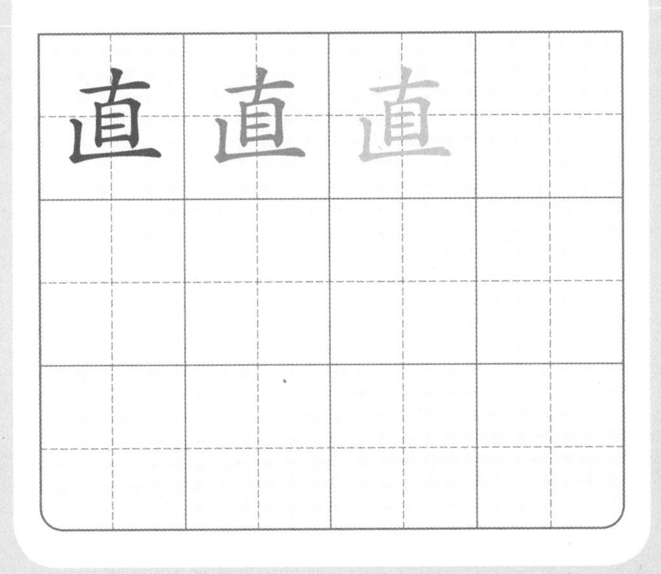

| 중국 | 工 |
|---|---|
| 일본 | 工 |

진흥 7급

| 장인 공 | |
|---|---|
| 工부 | 총3획 |

글자의 유래 장인이 사용하는 도구(工)로, '장인' '만듦'을 뜻한다.

활용 단어
- 工事(공사) : 토목이나 건축에 관한 일.
- 工場(공장) : 물건을 제조, 가공하거나 수리, 정비하는 시설.

・事(일 사) ・場(마당 장)

필순 一 丅 工

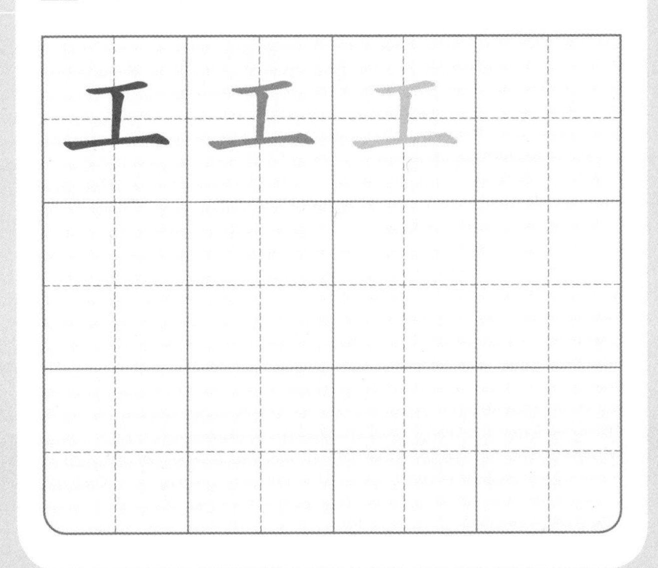

| 중국 | 记 |
| --- | --- |
| 일본 | 記 |

| 기록할 기 | |
| --- | --- |
| 言부 | 총10획 |

**글자의 유래** **말(言)** 속의 중요한 **몸(己)**이 되는 사실을 '**기록하여**' '**적음**'을 뜻한다.

**활용 단어**
- 手記(수기) : 자신의 체험을 적은 글.
- 記事(기사) : 사실을 적음. 또는 그 글.

• 言(말씀 언) • 手(손 수) • 事(일 사)

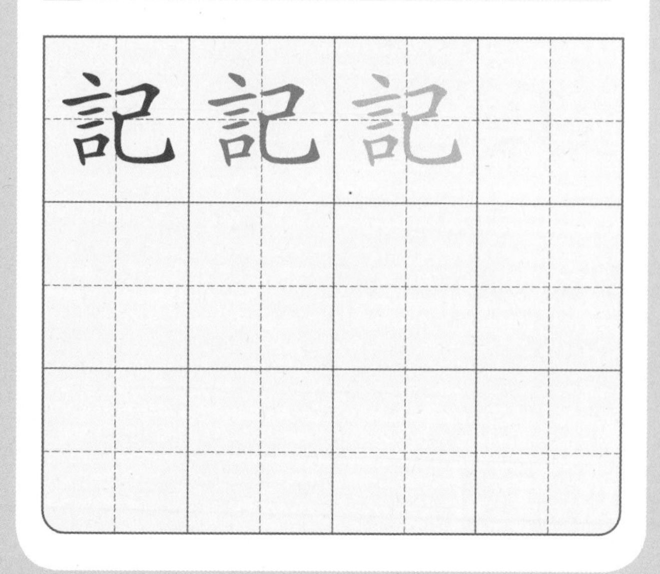

필순 丶 亠 亠 言 言 言 言 訁 訂 記

記 記 記

| 중국 | 道 |
| --- | --- |
| 일본 | 道 |

| 길 도<br>말할 도 | |
| --- | --- |
| 辵부 | 총13획 |

**글자의 유래** 우두**머리(首)**가 살아 **갈(辶)** '**도리**'나 '**길**'을 '**인도함**'에서 '**말함**'을 뜻한다.

**활용 단어**
- 國道(국도) : 정부가 관리하는 도로.
- 水道(수도) : 물의 통로로, 상하수도를 이르는 말.

• 首(머리 수) • 辵(쉬엄쉬엄갈 착)

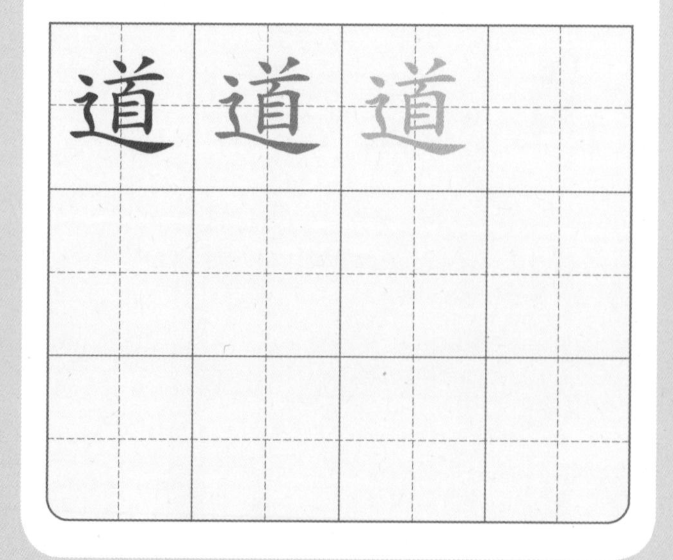

필순 丶 丷 䒑 䒑 产 kf 首 首 首 道 道 道 道

道 道 道

| 중국 | 青 |
|---|---|
| 일본 | 青 |

검정 7급

| 푸를 청 | |
|---|---|
| 靑부 | 총8획 |

글자의 유래 푸르게 **자라는(生=主) 우물(丼=円=冂)** 옆 초목에서 **'푸름'**을 뜻한다.

활용 단어
- 靑年(청년) : 젊은 사람.
- 靑山(청산) : 푸른 산.

• 生(날 생) • 年(해 년) • 山(메 산)

필순 一 二 丰 主 丰 靑 靑 靑

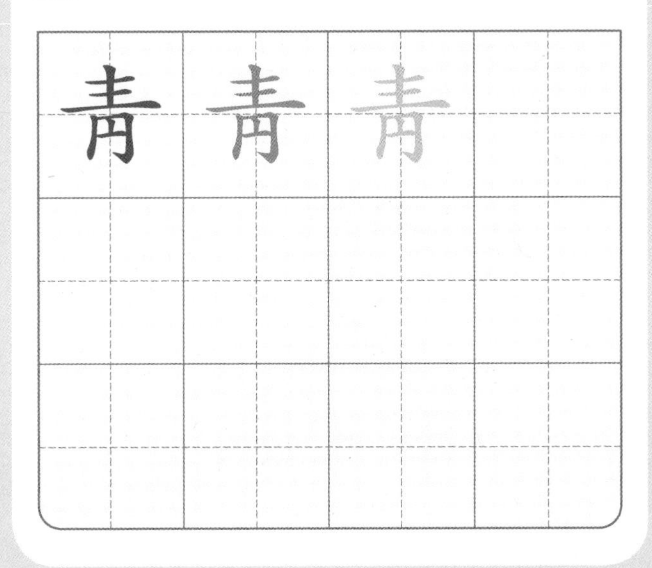

| 중국 | 少 |
|---|---|
| 일본 | 少 |

| 적을 소ː | |
|---|---|
| 小부 | 총4획 |

글자의 유래 **작은 물건(小)**이 흩어진 모양(丿)에서, 少는 **'적다' '젊다'**를 뜻한다.

활용 단어
- 少年(소년) : 어리지도 성숙하지도 않은 남자.
- 少女(소녀) : 어리지도 성숙하지도 않은 여자.

• 年(해 년) • 女(계집 녀)

필순 亅 小 小 少

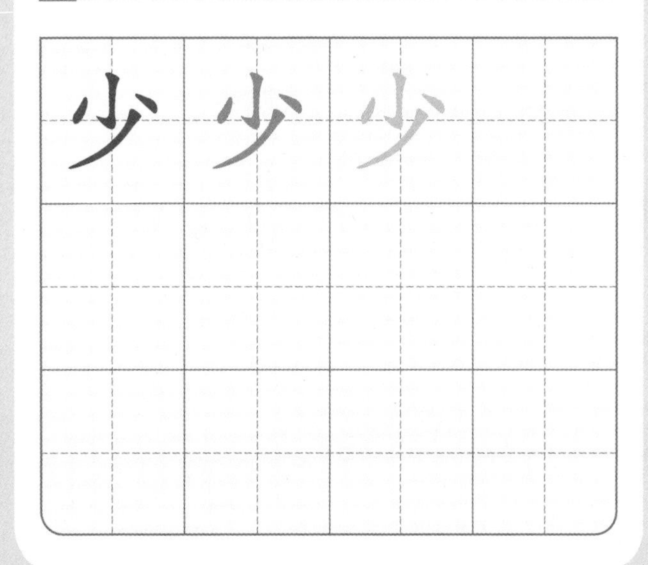

중국 时
일본 時

| 때 | 시 |
| --- | --- |
| 日부 | 총10획 |

**글자의 유래** 해(日)를 관찰하던 관청이나 절(寺)에서 '시간' '철'을 알려줌을 뜻한다..

**활용 단어**
- 每時(매시) : 한 시간 한 시간.
- 午時(오시) : 오전 11시부터 오후 1시까지.

• 日 (날 일) • 每 (매양 매) • 午 (낮 오)

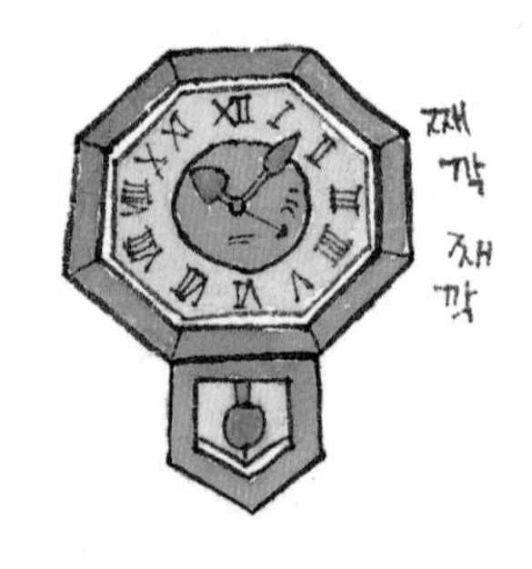


필순 丨 冂 月 日 日一 日十 日土 日圭 時 時

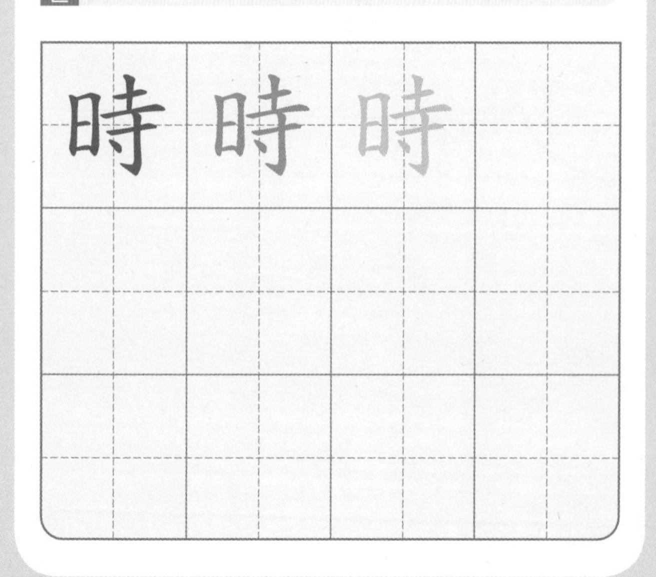


## 사자성어

**教學相長** 교학상장
스승은 학생에게 가르침으로써 성장하고, 제자는 배우면서 진보한다는 말이다.

**九死一生** 구사일생
죽을 고비를 여러 차례 넘기고 겨우 살아난다는 뜻이다.

**青春男女** 청춘남녀
만물이 푸른 봄철의 남자와 여자로 젊은 나이의 남자와 여자를 말한다.

# 확인 학습 문제

## 1 다음 漢字(한자)의 訓(훈)과 音(음)을 쓰세요.

보기 音 소리 음

(1) 敎
(2) 育
(3) 學
(4) 校
(5) 先
(6) 生
(7) 文
(8) 字
(9) 直
(10) 工
(11) 記
(12) 道
(13) 靑
(14) 少
(15) 時

## 2 다음 漢字語(한자어)의 讀音(독음)을 쓰세요.

(1) 敎室
(2) 生育
(3) 學校
(4) 校門
(5) 先手
(6) 生日
(7) 文人
(8) 國字
(9) 直立
(10) 工事
(11) 手記
(12) 水道
(13) 靑山
(14) 少年
(15) 每時

## 3 다음 漢字語(한자어)의 뜻을 쓰세요.

(1) 靑山 : (　　　　　　　　　　)

(2) 直立 : (　　　　　　　　　　)

(3) 生日 : (　　　　　　　　　　)

**4** 다음 訓(훈)과 音(음)에 맞는 漢字(한자)를 例(예)에서 찾아 그 기호를 쓰세요.

例(예)
㉠ 時 ㉡ 青 ㉢ 少 ㉣ 道 ㉤ 記
㉥ 工 ㉦ 字 ㉧ 先 ㉨ 育 ㉩ 教

(1) 기록할 기 [  ]　(2) 때 시 [  ]
(3) 글자 자 [  ]　(4) 적을 소 [  ]
(5) 길 도 [  ]　(6) 푸를 청 [  ]
(7) 가르칠 교 [  ]　(8) 먼저 선 [  ]
(9) 기를 육 [  ]　(10) 장인 공 [  ]

**5** 다음 漢字(한자)와 상대·반대되는 漢字(한자)를 例(예)에서 찾아 그 기호를 쓰세요.

例(예)
㉠ 教 ㉡ 先 ㉢ 生

(1) [  ] ⟷ 學　(2) [  ] ⟷ 後
(3) [  ] ⟷ 死

**6** 다음 (　　) 속에 알맞은 漢字(한자)를 例(예)에서 찾아 그 기호를 쓰세요.

例(예)
㉠ 長 ㉡ 道 ㉢ 先

(1) 生(　　) : 나서 자라거나 큼.
(2) (　　)手 : 남보다 먼저 손을 쓰는 일.
(3) 水(　　) : 물의 통로로, 상하수도를 이르는 말.

# 08과 :: 재미있는 수

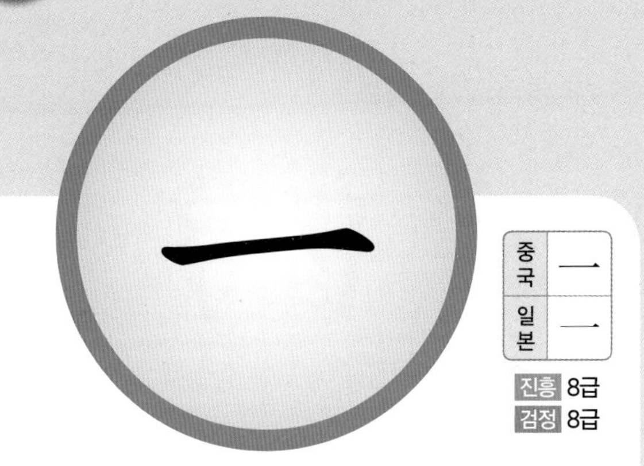

| 중국 | 一 |
| --- | --- |
| 일본 | 一 |

진흥 8급
검정 8급

| 한 일 | |
| --- | --- |
| 一부 | 총1획 |

**글자의 유래** 물건 **하나**(一)에서 **'하나'**를 뜻하며, 일의 **'시초'** **'처음'**을 뜻한다.

**활용 단어**
- 一家(일가) : 한 집안. 한 가족.
- 同一(동일) : 다른 데가 없이 똑같음.

· 家(집 가) · 同(한가지 동)

필순 一

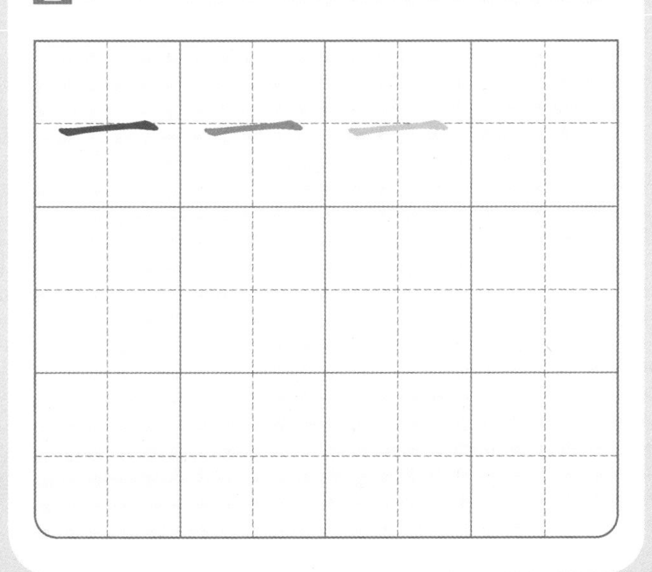

| 중국 | 二 |
| --- | --- |
| 일본 | 二 |

진흥 8급
검정 8급

| 두 이ː | |
| --- | --- |
| 二부 | 총2획 |

**글자의 유래** 물건 **둘**(二)을 놓아 **'둘'** **'같음'**이나, 때로 하늘과 땅을 뜻한다.

**활용 단어**
- 二重(이중) : 두 겹. 겹침.
- 二月(이월) : 한 해의 두 번째 달.

· 重(무거울 중) · 月(달 월)

필순 一 二

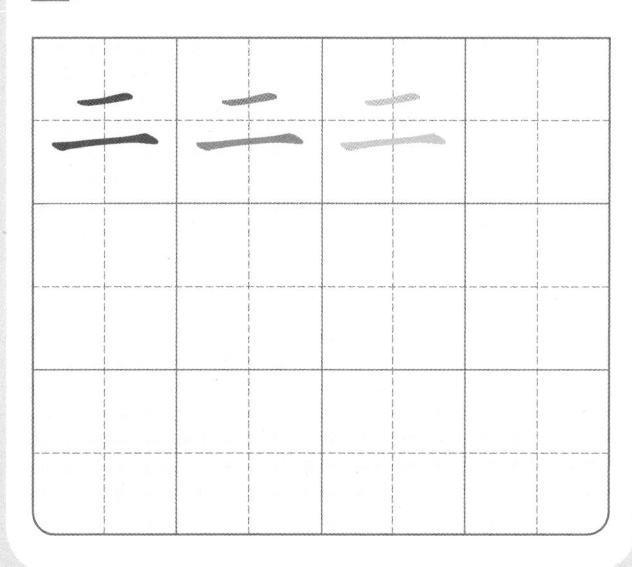

| 중국 | 三 |
|---|---|
| 일본 | 三 |

진흥 8급
검정 8급

| 석 삼 | | |
|---|---|---|
| 一부 | 총3획 | |

**글자의 유래** 주살(弋) **셋**(三)인 '弎(삼)'으로, 물건 셋에서 '**삼**'을 뜻한다. '**여러 차례**'라는 뜻으로도 쓰인다.

**활용 단어**
- 三國(삼국) : 세 나라.
- 三世(삼세) : 삼대(三代), 즉 아버지, 아들, 손자의 세 대.

· 國 (나라 국) · 世 (세상 세)

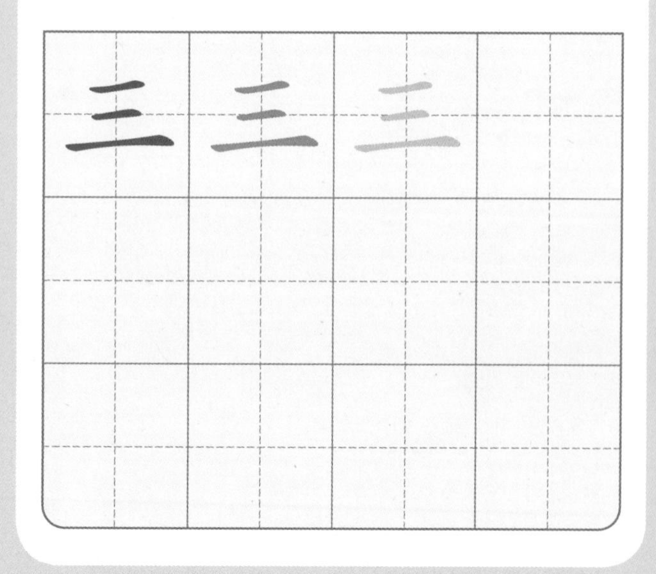

**필순** 一 二 三

三 三 三

| 중국 | 四 |
|---|---|
| 일본 | 四 |

진흥 8급
검정 8급

| 넉 사 : | | |
|---|---|---|
| 口부 | 총5획 | |

**글자의 유래** 네 줄, 또는 짐승 머리모양이나 **콧물**이 갈라져 나오는 모양으로, 숫자 '**넷**'인 '**넉**'으로 쓰인다.

**활용 단어**
- 四寸(사촌) : 아버지 형제의 아들과 딸.
- 四面(사면) : 전후좌우의 모든 방면.

· 寸 (마디 촌) · 面 (낯 면)

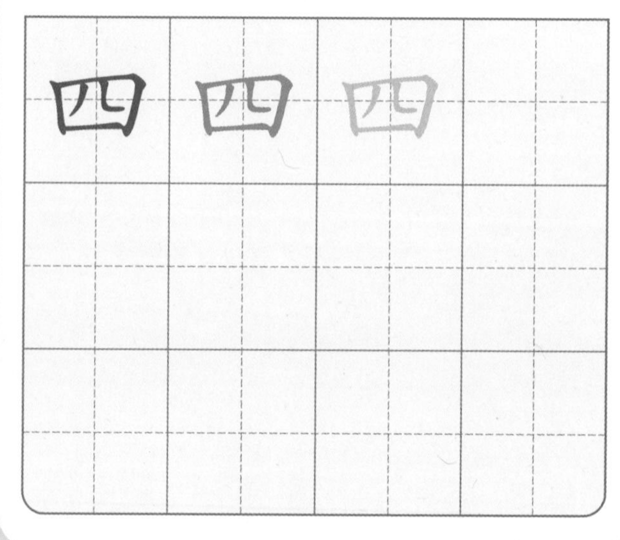

**필순** 丨 冂 冂 四 四

四 四 四

| 중국 | 五 |
|---|---|
| 일본 | 五 |

진흥 8급
검정 8급

| 다섯 오 : | |
|---|---|
| 二부 | 총4획 |

**글자의 유래** 가로줄 다섯 개, 또는 물건이 **교차한**(⌛·×) **중간**에서 숫자 중간인 **'다섯'**을 뜻한다.

**활용 단어**
- 五色(오색) : 다섯 가지의 빛깔.
- 五福(오복) : 다섯 가지 복.

· 色(빛 색) · 福(복 복)

**필순** 一 丆 五 五

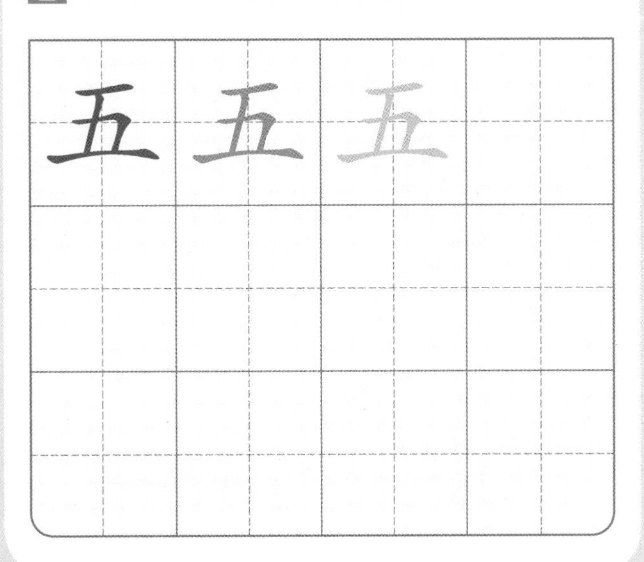

| 중국 | 六 |
|---|---|
| 일본 | 六 |

진흥 8급
검정 8급

| 여섯 륙 | |
|---|---|
| 八부 | 총4획 |

**글자의 유래** **지붕**(亠)과 육 면으로 **나뉘어**(八) 쌓인 유목민의 집 모양에서 **'여섯'**을 뜻한다.

**활용 단어**
- 六日(육일) : 여섯 번째 날.
- 六學年(육학년) : 초등학교 과정에서 가장 높은 학년.

· 日(날 일) · 學(배울 학) · 年(해 년)

**필순** 丶 亠 六 六

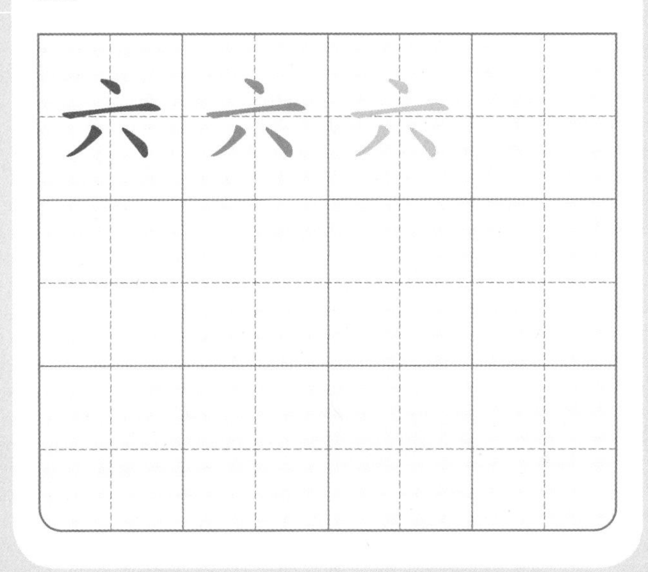

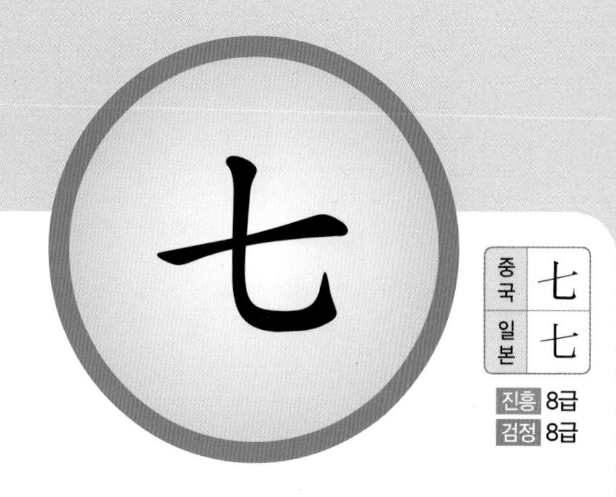

| 중국 | 七 |
|---|---|
| 일본 | 七 |

진흥 8급
검정 8급

| 일곱 칠 | | |
|---|---|---|
| 一부 | 총2획 | |

글자의 유래 **물건**(一)을 **자름**(丨=乚)으로, 음이 같아 **'칠'** **'자름'**을 뜻한다.

활용 단어
- 七月(칠월) : 한 해의 일곱 번째 달.
- 七夕(칠석) : 음력 7월 7일. 견우와 직녀가 오작교에서 만난다는 날.

· 十(열 십) · 月(달 월) · 夕(저녁 석)

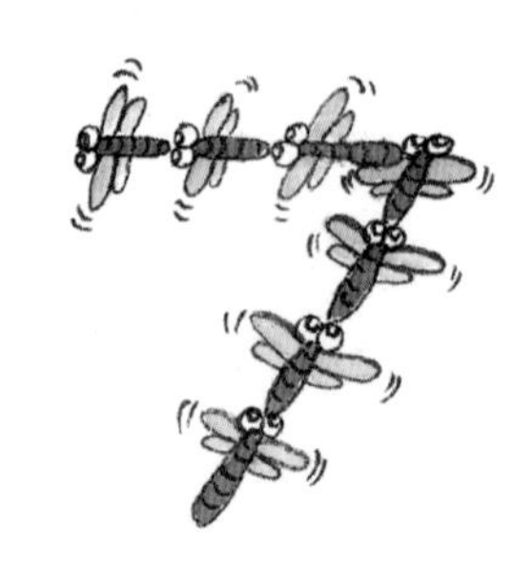

필순 一 七

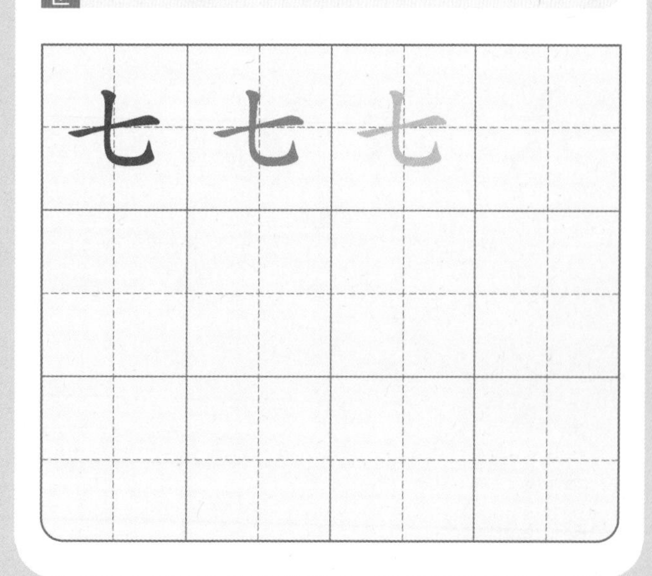

| 중국 | 八 |
|---|---|
| 일본 | 八 |

진흥 8급
검정 8급

| 여덟 팔 | | |
|---|---|---|
| 八부 | 총2획 | |

글자의 유래 양쪽으로 **'나누어(丿 乀)' 분별함**을 뜻하며, 숫자로 **'팔'**로 쓰인다.

활용 단어
- 八方(팔방) : 여덟 방향. 모든 방면.
- 八道(팔도) : 조선 시대 국토를 여덟 개의 도로 나눈 행정 구역.

· 方(모 방) · 道(길 도)

필순 丿 八

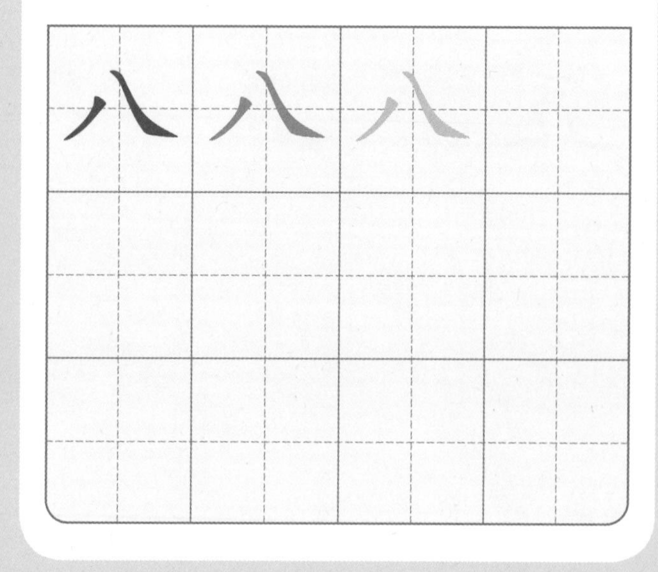

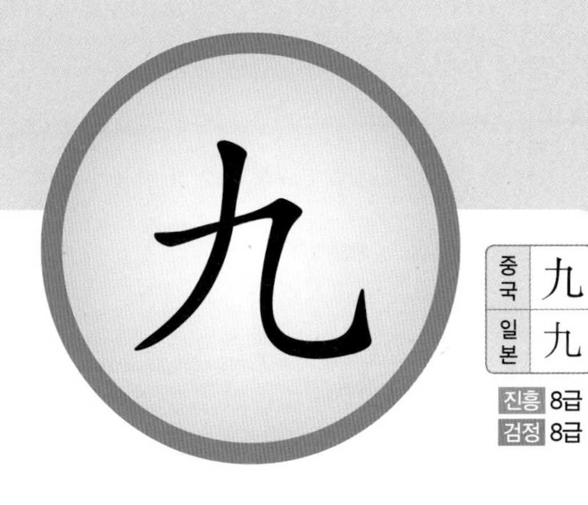

| 중국 | 九 |
|---|---|
| 일본 | 九 |

진흥 8급
검정 8급

| 아홉 구 | |
|---|---|
| 乙부 | 총2획 |

**글자의 유래** 팔이나 물체가 많이 굽어짐에서, 숫자의 **많은 끝**인 **'아홉'**으로 쓰인다.

**활용 단어**
- 九月(구월) : 한 해의 아홉 번째 달.
- 九秋(구추) : 가을철 90일 동안을 달리 이르는 말.

• 月(달 월) • 秋(가을 추)

필순 ノ 九

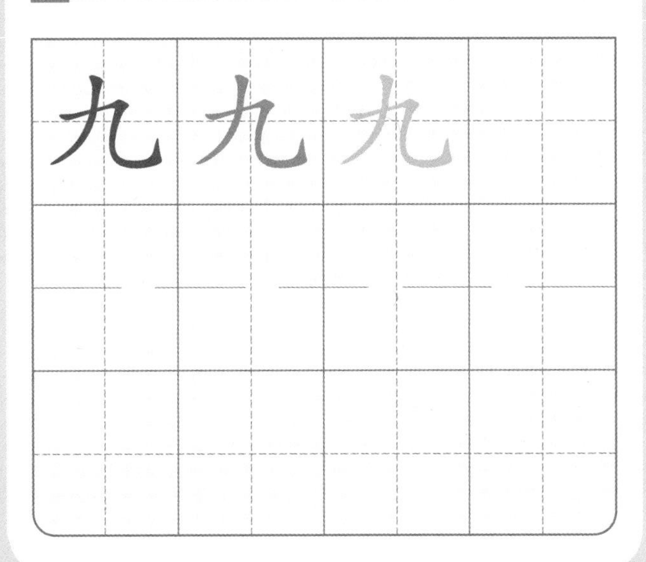

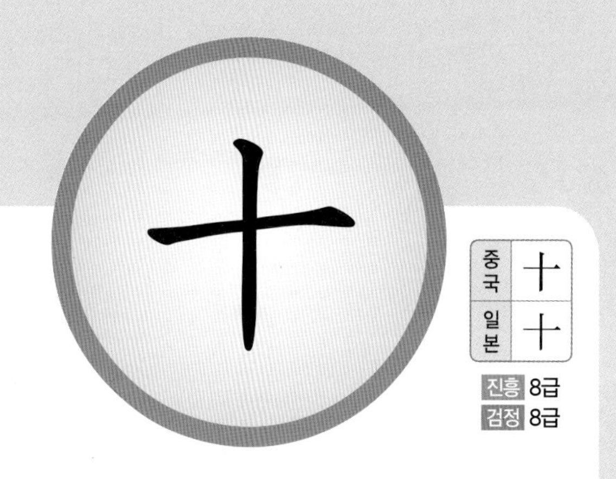

| 중국 | 十 |
|---|---|
| 일본 | 十 |

진흥 8급
검정 8급

| 열 십 | |
|---|---|
| 十부 | 총2획 |

**글자의 유래** 숫자의 끝을 나타내는 **가로줄**(丨)이나 나무 중간을 **묶어**(丶=一) **'십'**의 단위로 쓰인다.

**활용 단어**
- 十萬(십만) : 만의 열 배의 수.
- 十字(십자) : 열십자의 모양을 한 것.

• 萬(일만 만) • 字(글자 자)

필순 一 十

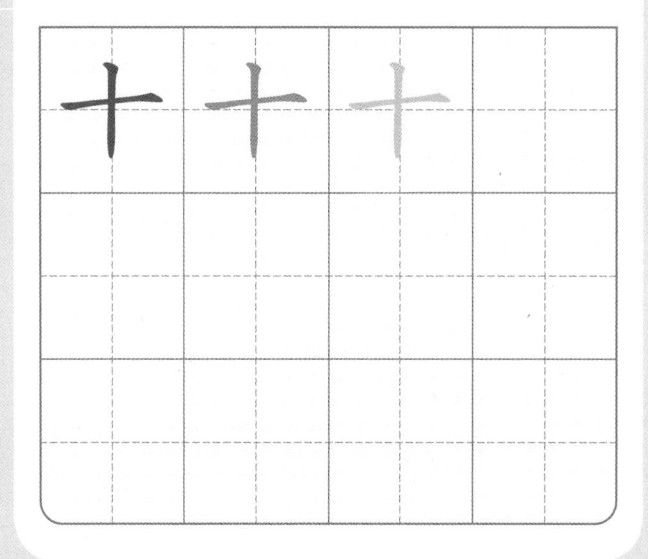

| 중국 | 百 |
| --- | --- |
| 일본 | 百 |

진흥 7급

| 일백 | 백 |
| --- | --- |
| 白부 | 총6획 |

**글자의 유래** **한**(一) 묶음 단위로 **흰**(白) 쌀을 헤아리던 쌀 **'일백'** 개를 뜻한다.

**활용 단어**
- 百花(백화) : 온갖 꽃.
- 百年(백년) : 오래 세월. 한평생.

·白(흰 백) ·花(꽃 화) ·年(해 년)

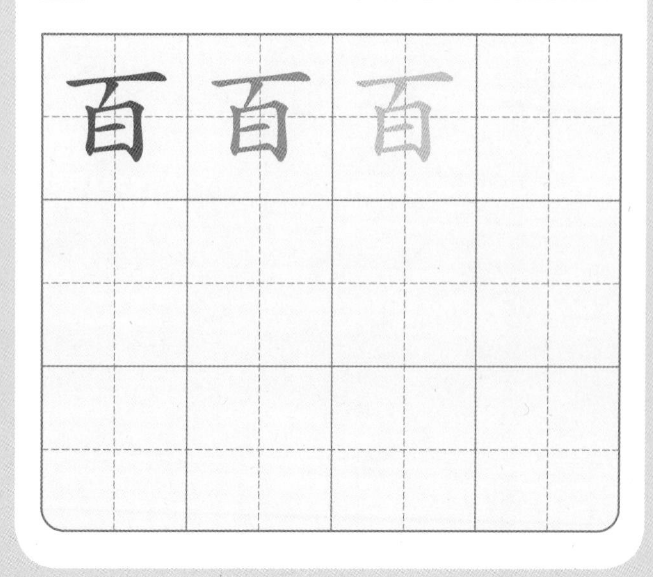

필순 一 丆 丆 百 百 百

| 중국 | 千 |
| --- | --- |
| 일본 | 千 |

진흥 7급

| 일천 | 천 |
| --- | --- |
| 十부 | 총3획 |

**글자의 유래** **사람**(亻)을 **일**(一)렬로 세운 많은 사람에서 **'천'**을 뜻한다.

**활용 단어**
- 千金(천금) : 엽전 천 냥. 많은 돈.
- 千秋(천추) : 오래도록 긴 세월.

·金(쇠 금) ·秋(가을 추)

필순 丿 二 千

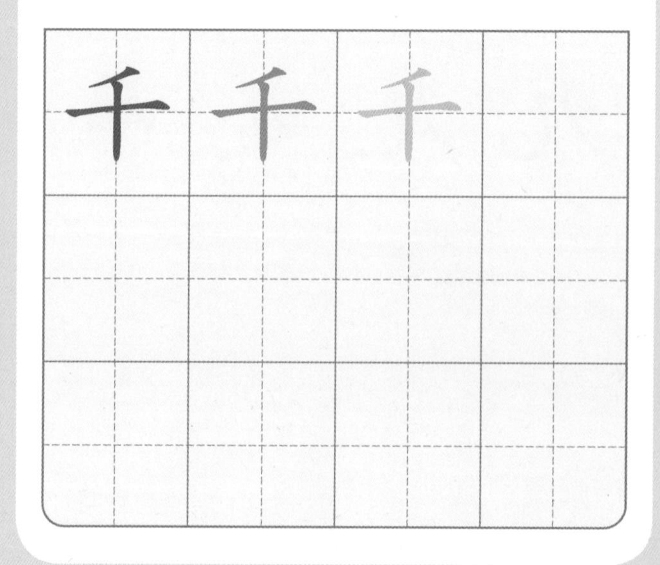

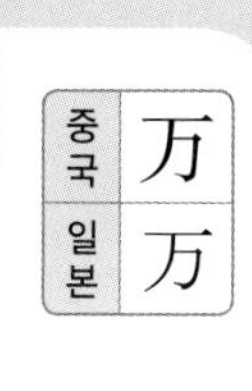

| 일만 | 만 : |
|---|---|
| 艸부 | 총13획 |

**글자의 유래** '전갈'의 집게(艹)·몸통(田)·긴 꼬리(禸)로 많은 수에서 '만'을 뜻한다.

**활용 단어**
- 萬人(만인) : 아주 많은 사람.
- 萬事(만사) : 모든 일.

· 人(사람 인) · 事(일 사)

필순

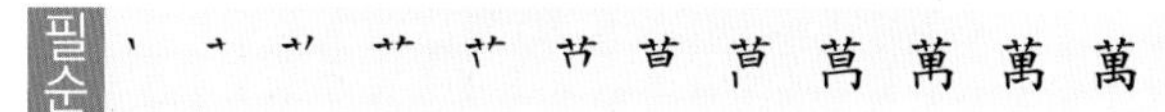

萬 萬 萬

| 셈 | 산 : |
|---|---|
| 竹부 | 총14획 |

**글자의 유래** 댓가지(竹)로 눈(目)을 만들어 두 손(廾)으로 '셈'함을 뜻한다.

**활용 단어**
- 算出(산출) : 계산해 냄.
- 心算(심산) : 속셈. 셈.

· 具(갖출 구) · 出(날 출) · 心(마음 심)

필순 ノ ㅅ ㅆ 竹 竺 笞 笪 筲 筲 筫 算 算

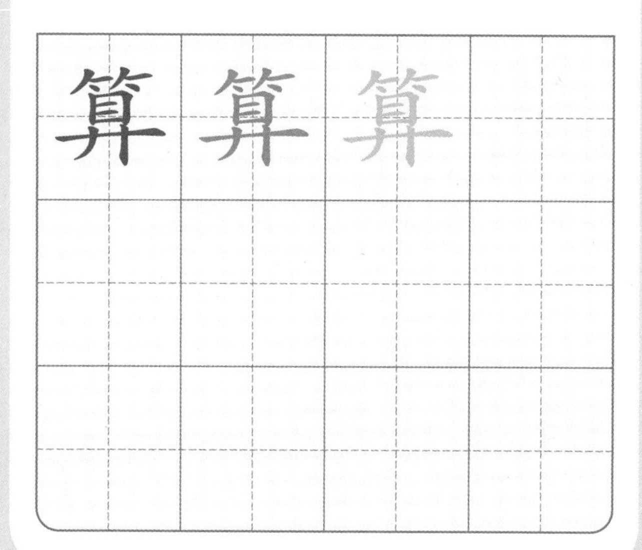

중국 数
일본 数

| 셈 | 수: |
|---|---|
| 자주 | 삭 |
| 攴부 | 총15획 |

글자의 유래 쌓인 **여러(婁)** 물건을 **치며(攵)** 수를 **'세는'** 데서 **'셈'**을 뜻한다.

활용 단어
- 算數(산수) : 산술 및 일반 기초적 수학.
- 數字(숫자) : 수를 나타내는 글자.

·算(셈 산) ·字(글자 자)

필순

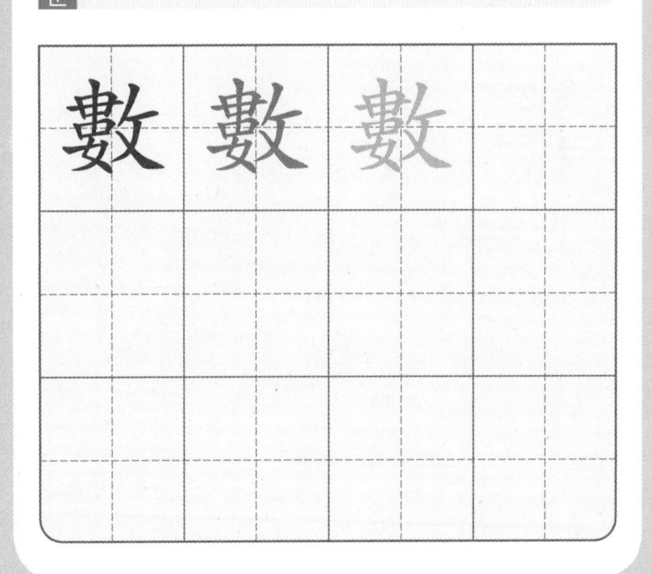


## 사자성어

**一口二言** 일구이언

한 입으로 두 말을 한다는 뜻으로, 말이 이랬다저랬다 함을 이르는 말이다.

**一字千金** 일자천금

글자 하나의 값이 천금의 가치가 있다는 뜻으로, 글씨나 문장이 아주 훌륭함을 이르는 말이다.

**八方美人** 팔방미인

여러 방면에 재주가 많은 사람이나 모든 면에서 두루 능통한 사람을 뜻한다.

# 확인 학습 문제

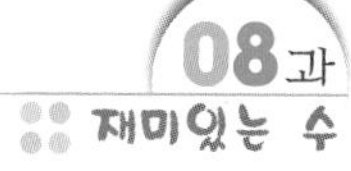


**1** 다음 漢字(한자)의 訓(훈)과 音(음)을 쓰세요.

보기 音 | 소리 음

(1) 二 [ ]　(2) 一 [ ]　(3) 三 [ ]

(4) 四 [ ]　(5) 六 [ ]　(6) 五 [ ]

(7) 七 [ ]　(8) 十 [ ]　(9) 九 [ ]

(10) 八 [ ]　(11) 百 [ ]　(12) 千 [ ]

(13) 萬 [ ]　(14) 算 [ ]　(15) 數 [ ]

**2** 다음 漢字語(한자어)의 讀音(독음)을 쓰세요.

(1) 數字 [ ]　(2) 算出 [ ]　(3) 萬事 [ ]

(4) 百年 [ ]　(5) 千秋 [ ]　(6) 十字 [ ]

(7) 九秋 [ ]　(8) 八道 [ ]　(9) 七夕 [ ]

(10) 五音 [ ]　(11) 六日 [ ]　(12) 四面 [ ]

(13) 三世 [ ]　(14) 一家 [ ]　(15) 二重 [ ]

**3** 다음 漢字語(한자어)의 뜻을 쓰세요.

(1) 一家 : (　　　　　　　　　　　　)

(2) 百花 : (　　　　　　　　　　　　)

(3) 萬事 : (　　　　　　　　　　　　)

**4** 다음 밑줄 친 漢字語(한자어)의 讀音(독음)을 쓰세요.

(1) 나는 數學 시간이 즐겁다. ( )

(2) 몸이 피곤하면 萬事가 귀찮아진다. ( )

(3) 유치원생들이 同一하게 원복을 입고 소풍을 간다. ( )

(4) 아버지 형제의 자녀가 나의 四寸이다. ( )

(5) 고구려, 백제, 신라가 있던 때를 三國 시대라고 한다. ( )

(6) 우리 나라는 七八月이 제일 덥다. ( )

(7) 병원을 알리는 상징은 녹색 十字이다. ( )

(8) 千金보다 소중한 것이 사람의 마음이다. ( )

### 우리 나라 주요 국경일 및 기념일

- 一月一日(1월 1일) : 설날
- 三月一日(3월 1일) : 삼일절
- 四月五日(4월 5일) : 식목일
- 四月八日(4월 8일-음력) : 석가탄신일
- 五月五日(5월 5일) : 어린이날
- 五月八日(5월 8일) : 어버이날
- 六月二十五日(6월 25일) : 한국 전쟁 6·25
- 七月十七日(7월 17일) : 제헌절
- 八月十五日(8월 15일) : 광복절
- 八月十五日(8월 15일-음력) : 추석
- 十月一日(10월 1일) : 국군의 날
- 十月三日(10월 3일) : 개천절
- 十月九日(10월 9일) : 한글날
- 十二月二十五日(12월 25일) : 크리스마스

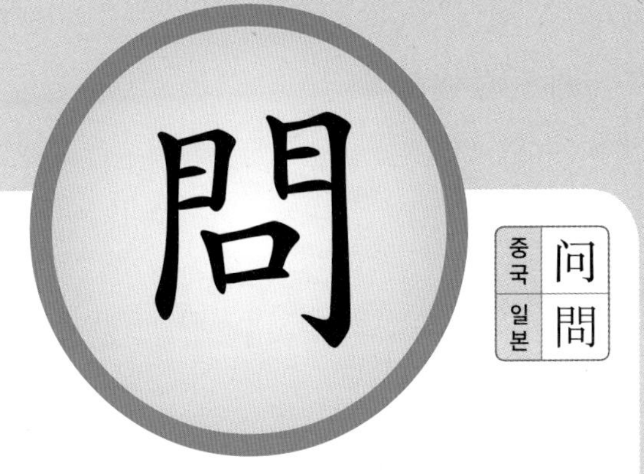

# 問

| 중국 | 问 |
| --- | --- |
| 일본 | 問 |

| 물을 문ː | |
| --- | --- |
| 口부 | 총11획 |

**글자의 유래** **문(門)** 앞에서 **입(口)**으로 묻는 데서 **'묻다'**를 뜻한다.

**활용 단어**
- 問答(문답) : 물음과 대답.
- 問安(문안) : 웃어른께 안부를 물음.

· 答(대답 답) · 安(편안 안)

필순: 丨 ㄱ ㄱ ㄱ ㄱ 門 門 門 門 問 問

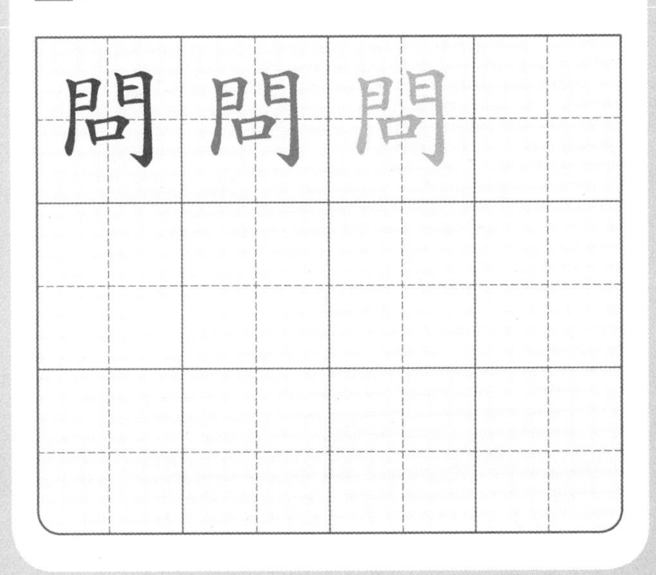

# 答

| 중국 | 答 |
| --- | --- |
| 일본 | 答 |

| 대답 답 | |
| --- | --- |
| 竹부 | 총12획 |

**글자의 유래** **대(竹)**를 **모아(合)** 엮은 죽간에 묻는 말의 **'대답'**을 써 보냄을 뜻한다.

**활용 단어**
- 正答(정답) : 옳은 답. 맞는 답.
- 對答(대답) : 부름에 응함.

· 合(합할 합) · 正(바를 정) · 對(대할 대)

필순: ノ ㅅ ⺮ ⺮ ⺮ 竹 竺 答 答 答 答 答

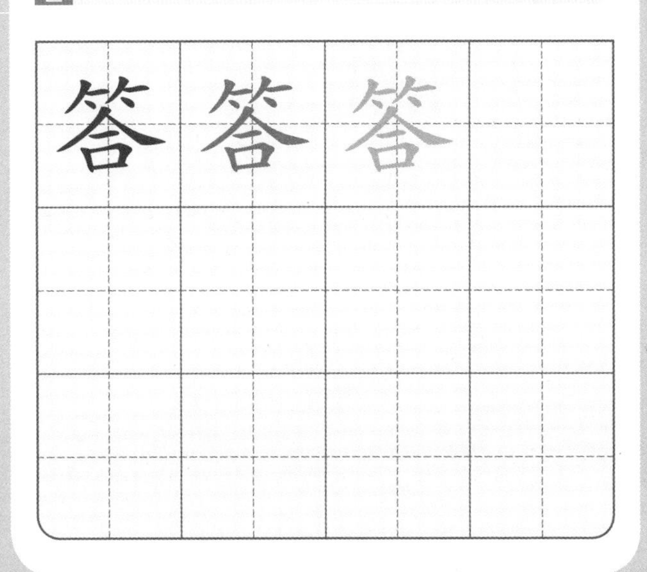

| 중국 | 电 |
|---|---|
| 일본 | 電 |

| 번개 | 전 : | 篆書 |
|---|---|---|
| 雨부 | 총13획 | |

**글자의 유래** **비(雨)**가 내릴 때 **펼쳐(申=电)** 내리치는 '**번개**'에서 '**전기**'를 뜻한다.

**활용 단어**
- 電車(전차) : 전기의 힘으로 달리는 차량.
- 電氣(전기) : 전자의 이동으로 생기는 에너지의 한 종류.

・申(펼 신) ・車(수레 차) ・氣(기운 기)

필순

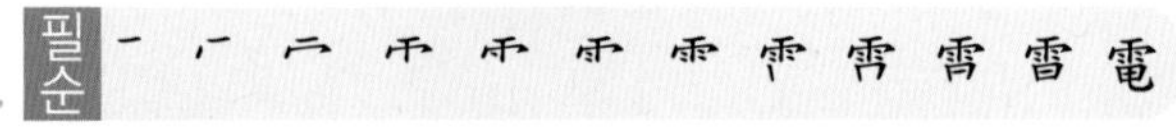

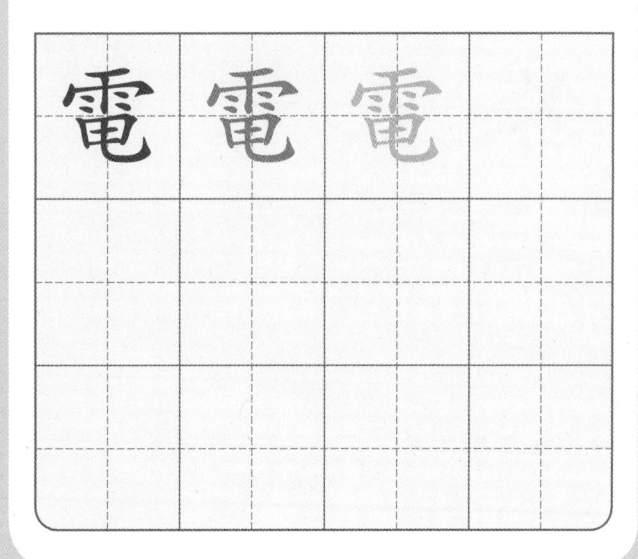

| 중국 | 话 |
|---|---|
| 일본 | 話 |

| 말씀 | 화 | 篆書 |
|---|---|---|
| 言부 | 총13획 | |

**글자의 유래** **말(言)**로 남의 잘못된 말을 **막는(=舌)** 좋은 '**말씀**'을 뜻한다.

**활용 단어**
- 電話(전화) : 전화기로 말을 주고받는 일.
- 神話(신화) : 국가의 기원이나 신의 이야기.

・電(번개 전) ・神(귀신 신)

필순

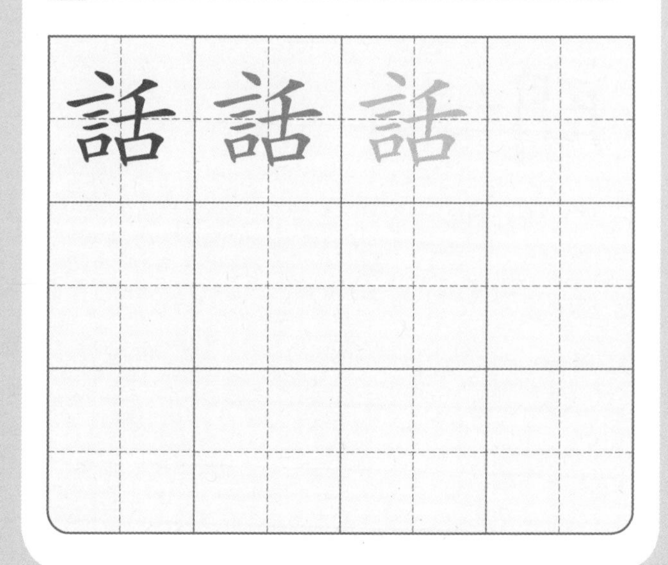

| 중국 | 语 |
|---|---|
| 일본 | 語 |

| 말씀 | 어ː |
|---|---|
| 言부 | 총14획 |

**글자의 유래** 나에게 **말(言)**로 **자신(吾)**의 의견을 말해주는 **'말씀'**을 뜻한다.

**활용 단어**
- 語學(어학) : 외국어를 배우는 학문.
- 語文(어문) : 말과 글.

· 言(말씀 언) · 學(배울 학) · 文(글월 문)

필순 語

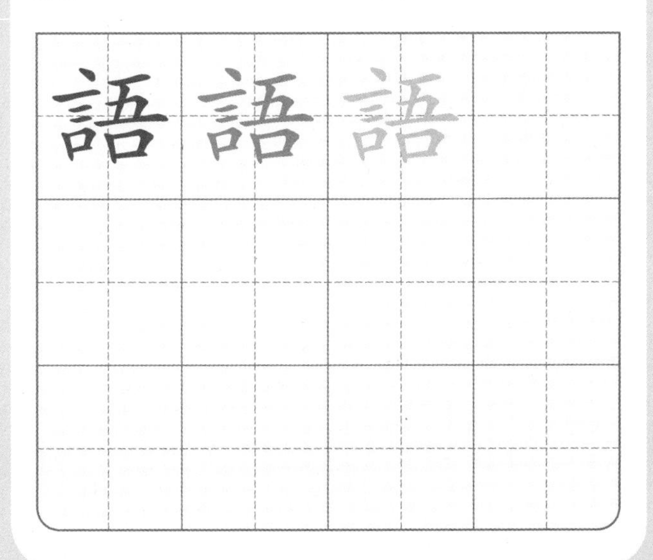

| 중국 | 歌 |
|---|---|
| 일본 | 歌 |

| 노래 | 가 |
|---|---|
| 欠부 | 총14획 |

**글자의 유래** **옳고(可) 옳은(可) '노래(哥)'**를 입을 **벌려(欠)** **'노래'**함을 뜻한다.

**활용 단어**
- 歌手(가수) : 노래부르는직업을가진사람.
- 校歌(교가) : 학교를 상징하는 노래.

· 欠(하품 흠) · 手(손 수) · 校(학교 교)

필순 歌

歌 歌 歌

| 중국 | 名 |
|---|---|
| 일본 | 名 |

| 이름 명 | | (자형 변천) |
|---|---|---|
| 口부 | 총6획 | |

**글자의 유래** **저녁**(夕)에 사람이 보이지 않아 **입**(口)으로 '**이름**'을 부름을 뜻한다.

**활용 단어**
- 名門(명문) : 문벌이 좋은 집안.
- 有名(유명) : 이름이 널리 알려져 있음.

· 門(문 문) · 有(있을 유)

필순 ノ ク タ タ 名 名

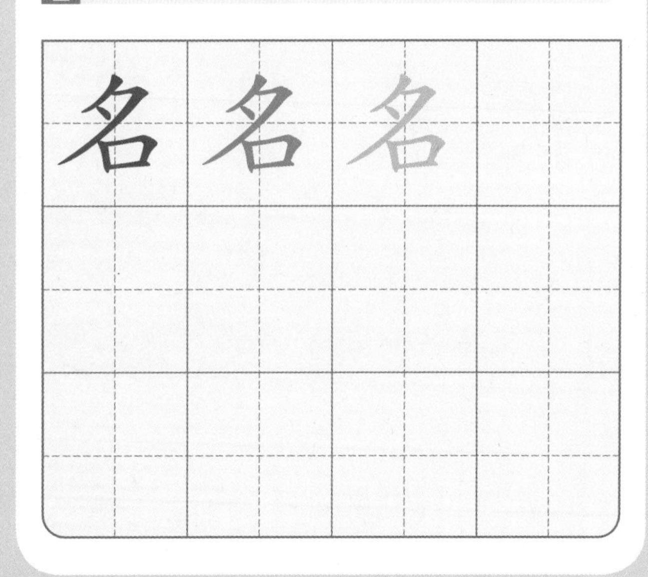

| 중국 | 命 |
|---|---|
| 일본 | 命 |

| 목숨 명ː | | (자형 변천) |
|---|---|---|
| 口부 | 총8획 | |

**글자의 유래** 윗사람 **입**(口)의 **명령**(令)에 따라 '**목숨**'이 정해짐을 뜻한다.

**활용 단어**
- 生命(생명) : 살아 숨 쉬게 하는 힘.
- 王命(왕명) : 임금의 명령.

· 生(날 생) · 王(임금 왕)

필순 ノ 人 亼 亼 合 合 命 命

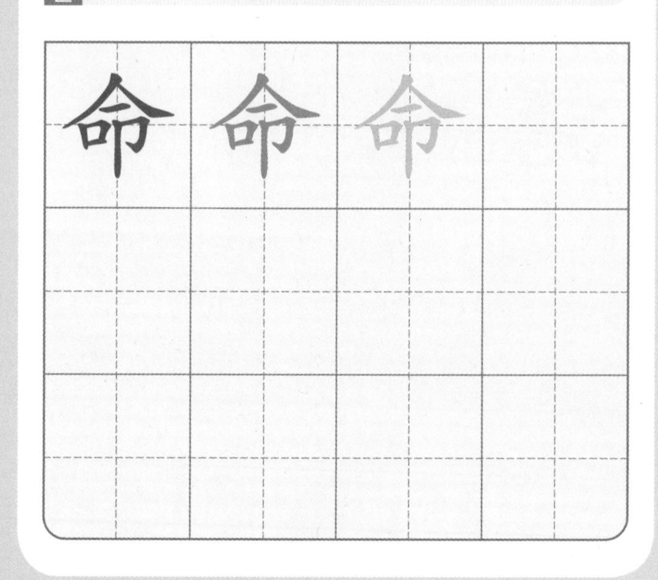

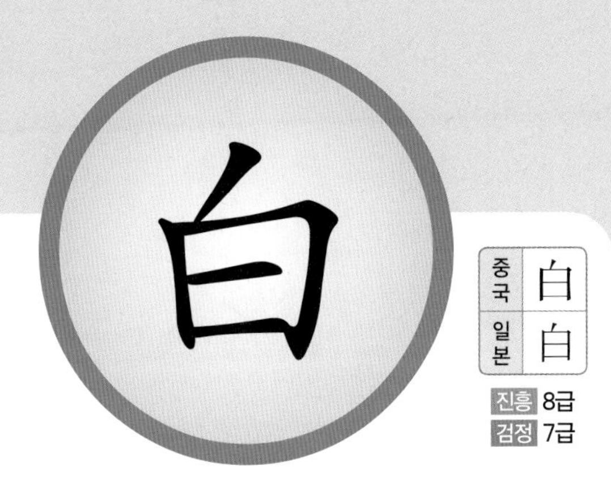

| 중국 | 白 |
| --- | --- |
| 일본 | 白 |

진흥 8급
검정 7급

| 흰 백 | |
| --- | --- |
| 白부 | 총5획 |

**글자의 유래** 흰 '**쌀**'이나 '**엄지손톱**' '**빛**' 모양으로, '**희다**' '**깨끗함**'을 뜻한다.

**활용 단어**
- 白金(백금) : 은백색의 귀금속 원소.
- 白紙(백지) : 흰 빛깔의 종이.

• 金(쇠 금) • 紙(종이 지)

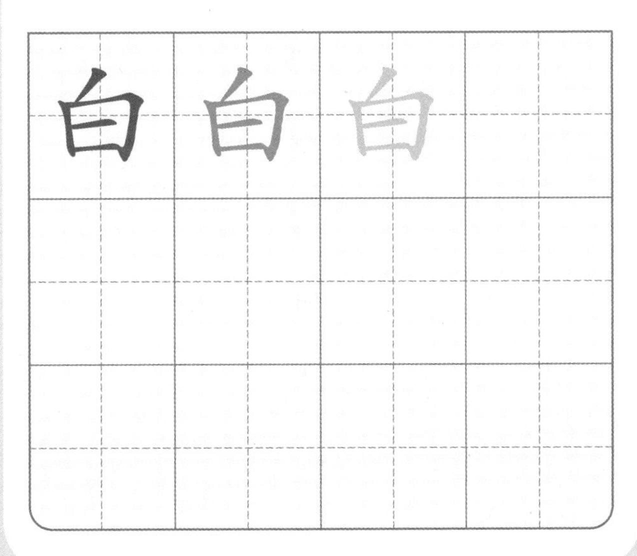

필순 丿 亻 白 白 白

白 白 白

| 중국 | 市 |
| --- | --- |
| 일본 | 市 |

| 저자 시 ː | |
| --- | --- |
| 巾부 | 총5획 |

**글자의 유래** 많은 **발(㞢=亠)**이 모이던 **깃발(巾)** 걸린 '**시장(巿=市)**' '**저자**'를 뜻한다.

**활용 단어**
- 市場(시장) : 여러 상품을 팔고 사는 장소.
- 市內(시내) : 도시의 안.

• 場(마당 장) • 內(안 내)

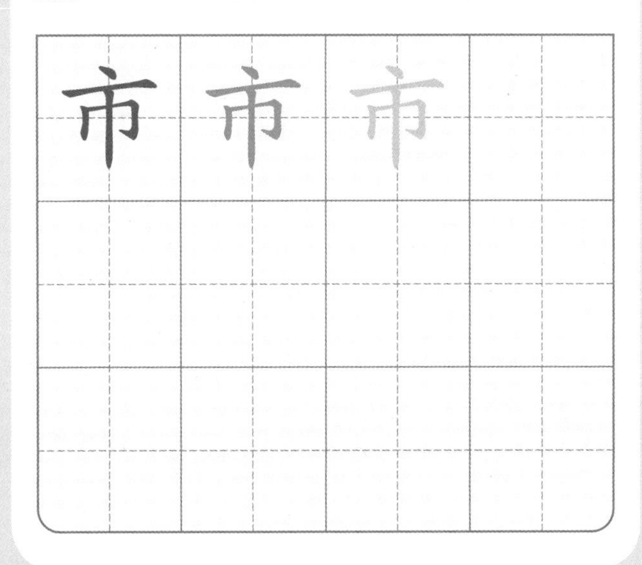

필순 丶 亠 亠 亣 市

市 市 市

| 중국 | 便 |
|---|---|
| 일본 | 便 |

| 편할 편(ː) / 똥오줌 변 ː | | 俈便 ➡ 便 |
|---|---|---|
| 人부 | 총9획 | |

**글자의 유래** **사람(亻)**이 불편함을 **고쳐(更)** **'편하게'**함을 뜻하며, **'똥오줌'**을 뜻하기도 한다.

**활용 단어**
- 便安(편안) : 몸과 마음이 편하고 좋음.
- 便所(변소) : 대소변을 보는 곳.

· 更(고칠 경) · 安(편안 안) · 所(바 소)

**필순** 丿 亻 亻 亻 亻 亻 亻 便 便

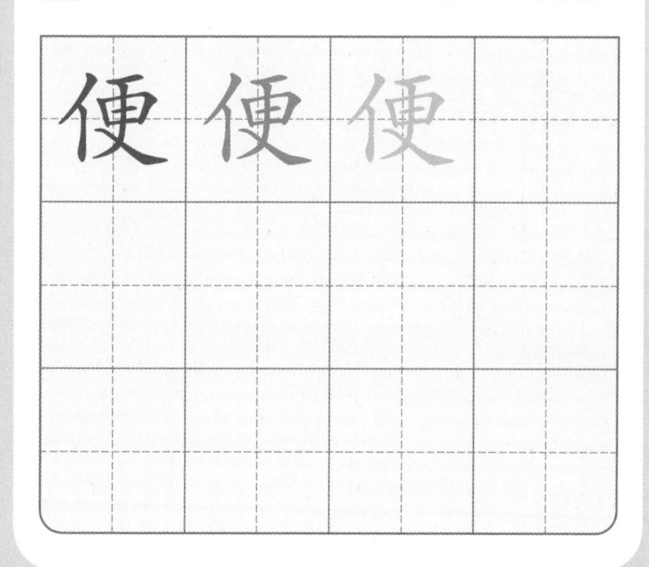

# 紙

| 중국 | 纸 |
|---|---|
| 일본 | 紙 |

| 종이 지 | | 紙 ➡ 紙 |
|---|---|---|
| 糸부 | 총10획 | |

**글자의 유래** **천(糸)**이나 나무**뿌리(氏)** 등으로 만들던 **'종이'**를 뜻한다.

**활용 단어**
- 便紙(편지) : 상대에게 적어 보내는 글.
- 紙面(지면) : 종이의 겉면.

· 便(편할 편) · 面(낯 면)

**필순** 𠃋 纟 纟 纟 糸 糸 糸 紅 紅 紙

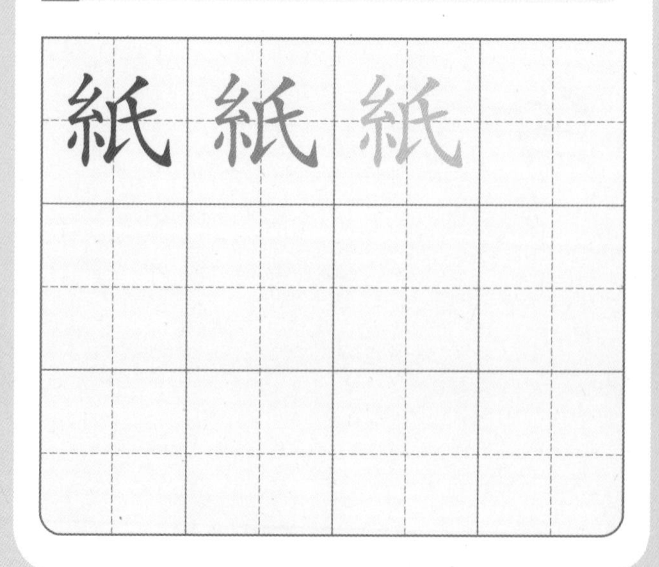

| 중국 | 食 |
|---|---|
| 일본 | 食 |

| 밥 식<br>먹을 식 | | 고문자 변천 |
|---|---|---|
| 食부 | 총9획 | |

**글자의 유래** **뚜껑(亼)**과 **고소한(皀)** 밥이 담긴 그릇에서 **'밥' '먹다'**를 뜻한다.

**활용 단어**
- 食水(식수) : 식용으로 쓰는 물.
- 外食(외식) : 끼니 음식을 음식점 등에서 사서 먹는 일.

· 皀(고소할 급) · 水(물 수) · 外(바깥 외)

**필순** 丿 人 𠆢 今 今 今 食 食 食

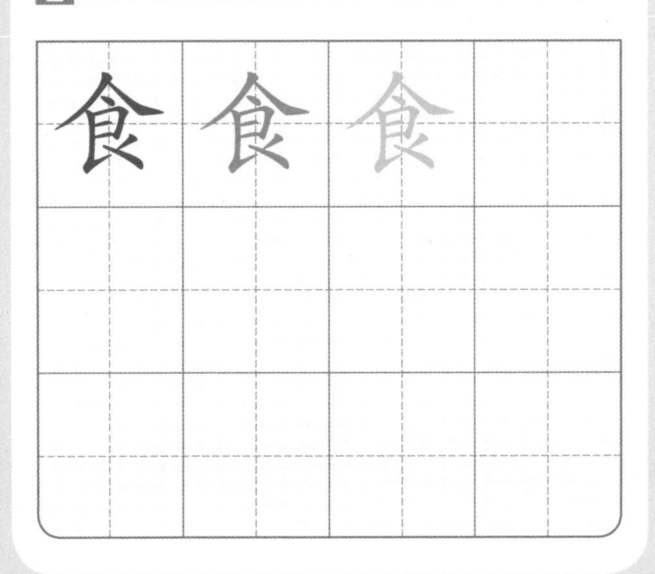

| 중국 | 然 |
|---|---|
| 일본 | 然 |

| 그럴 연 | | 고문자 변천 |
|---|---|---|
| 火부 | 총12획 | |

**글자의 유래** **고기(月)**로 만든 **개(犬)**인 개고기(肰)를 **불(灬)**에 **'그렇게'** 구움을 뜻한다.

**활용 단어**
- 自然(자연) : 스스로 일어나는 현상.
- 然後(연후) : 그러한 뒤.

· 火(불 화) · 自(스스로 자) · 後(뒤 후)

**필순** 丿 ク 夕 夕 夕 夘 㸚 肰 肰 然 然 然

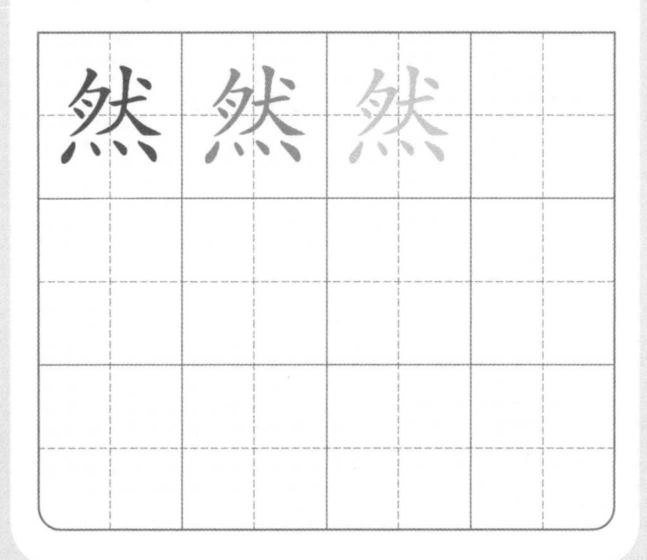

| 중국 | 物 |
|---|---|
| 일본 | 物 |

| 물건 물<br>만물 물 | |
|---|---|
| 牛부 | 총8획 |

**글자의 유래** 잡색 **소(牛)**를 잡아 모든 **부정(勿)**을 없애는 데서 **'만물' '물건'**을 뜻한다.

**활용 단어**
- 萬物(만물) : 온갖 물건.
- 事物(사물) : 일이나 물건.

• 萬 (일만 만) • 事 (일 사)

필순

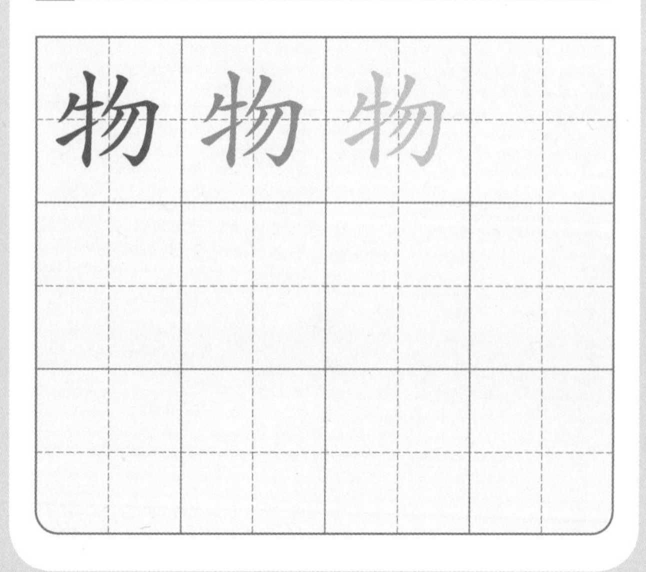

## 사자성어

**東問西答** 동문서답

동쪽을 묻는데 서쪽을 대답한다는 뜻으로, 묻는 말에 대하여 엉뚱하게 대답하는 것을 말한다.

**門前成市** 문전성시

문 앞이 시장을 이룬다는 뜻으로, 찾아오는 사람이 많음을 이르는 말이다.

**人命在天** 인명재천

사람의 목숨은 하늘에 있다는 뜻으로, 목숨은 사람의 힘으로 어찌할 수 없음을 뜻한다.

# 확인 학습 문제

## 1 다음 漢字(한자)의 訓(훈)과 音(음)을 쓰세요.

보기 音 소리 음

(1) 問 (2) 答 (3) 電

(4) 話 (5) 語 (6) 歌

(7) 名 (8) 命 (9) 白

(10) 市 (11) 便 (12) 紙

(13) 食 (14) 然 (15) 物

## 2 다음 漢字語(한자어)의 讀音(독음)을 쓰세요.

(1) 問答 (2) 正答 (3) 電氣

(4) 電話 (5) 語學 (6) 校歌

(7) 名門 (8) 生命 (9) 白金

(10) 市內 (11) 便安 (12) 紙面

(13) 外食 (14) 自然 (15) 事物

## 3 다음 漢字語(한자어)의 뜻을 쓰세요.

(1) 食水 : (                    )

(2) 正答 : (                    )

(3) 事物 : (                    )

확인 학습 문제

**4** 다음 訓(훈)과 音(음)에 맞는 漢字(한자)를 例(예)에서 찾아 그 기호를 쓰세요.

例(예)
㉠ 物 ㉡ 然 ㉢ 食 ㉣ 紙 ㉤ 便
㉥ 市 ㉦ 答 ㉧ 白 ㉨ 名 ㉩ 歌

(1) 종이 지 ☐ (2) 밥 식 ☐
(3) 그럴 연 ☐ (4) 물건 물 ☐
(5) 대답 답 ☐ (6) 편할 편 ☐
(7) 저자 시 ☐ (8) 이름 명 ☐
(9) 노래 가 ☐ (10) 흰 백 ☐

**5** 다음 漢字(한자)와 같은 音(음)을 가진 漢字(한자)를 찾아 그 기호를 쓰세요.

(1) ☐ — 歌 : ㉠ 安 ㉡ 下 ㉢ 百 ㉣ 家
(2) ☐ — 同 : ㉠ 平 ㉡ 東 ㉢ 右 ㉣ 名
(3) ☐ — 紙 : ㉠ 生 ㉡ 里 ㉢ 地 ㉣ 市

**6** 다음 ( ) 속에 알맞은 漢字(한자)를 例(예)에서 찾아 그 기호를 쓰세요.

例(예)
㉠ 紙 ㉡ 安 ㉢ 電

(1) ( )車 : 전기의 힘으로 달리는 차량.
(2) 問( ) : 웃어른께 안부를 물음.
(3) ( )面 : 종이의 겉면.

| 중국 | 活 |
|---|---|
| 일본 | 活 |

| 살 활 | | 𣶒 |
|---|---|---|
| 水부 | 총9획 | |

**글자의 유래** 물(氵)이 막힌(𠯑=舌) 틈에서 다시 '살아'나듯 흘러나옴을 뜻한다.

**활용 단어**
- 活力(활력) : 살아 움직이는 힘.
- 生活(생활) : 살아서 활동함.

· 力(힘 력) · 生(날 생)

필순 丶 丷 氵 氵 氵 汧 汧 活 活

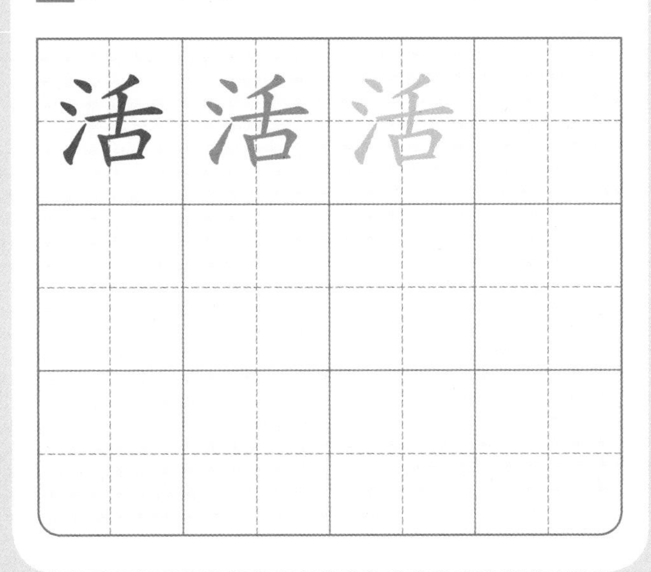

| 중국 | 动 |
|---|---|
| 일본 | 動 |

| 움직일 동: | | 䡴 ➡ 動 |
|---|---|---|
| 力부 | 총11획 | |

**글자의 유래** 무거운(重) 짐을 지고 힘(力)써 옮기는 데서 '움직임'을 뜻한다.

**활용 단어**
- 動物(동물) : 움직이는 생물.
- 自動(자동) : 제 힘으로 움직임.

· 物(물건 물) · 自(스스로 자)

필순 ノ 二 千 台 台 旨 重 重 重 動 動

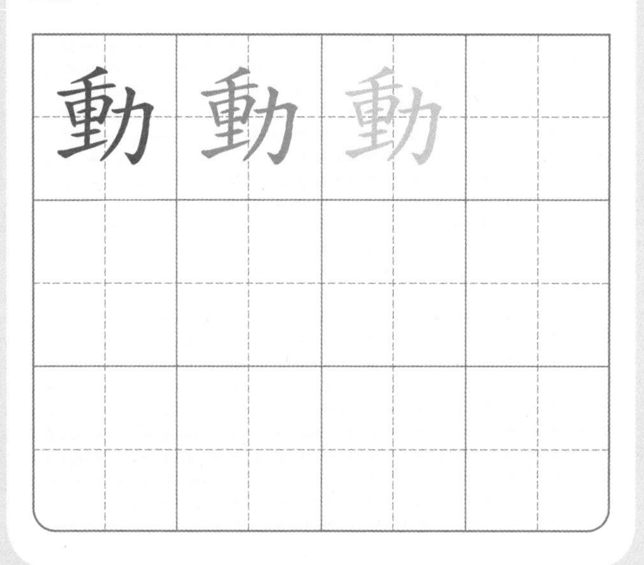

| 중국 | 气 |
|---|---|
| 일본 | 気 |

| 기운 | 기 |
|---|---|
| 气부 | 총10획 |

**글자의 유래** 하늘 **기운(气)**처럼 **쌀(米)로** 지은 밥에서 나는 '**기운**'을 뜻한다.

**활용 단어**
- 火氣(화기) : 불 기운. 화난 기운.
- 氣力(기력) : 일을 할 수 있는 정신과 육체의 힘.

· 米(쌀 미) · 火(불 화) · 力(힘 력)

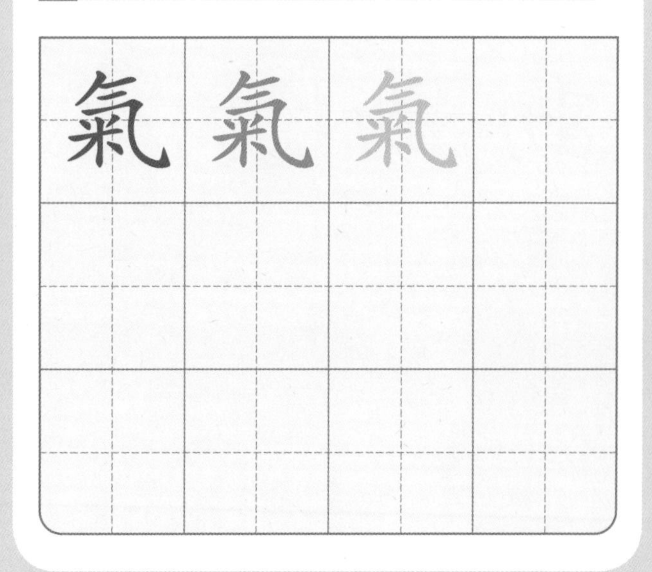

**필순** 丿 𠂉 𠂇 气 气 气 氕 氧 氣 氣

氣 氣 氣

| 중국 | 色 |
|---|---|
| 일본 | 色 |

| 빛 | 색 |
|---|---|
| 色부 | 총6획 |

**글자의 유래** 선 **사람(⺈)**과 꿇어앉은 **사람(㔾=巴)**에서 '**각양각색**' '**색**'을 뜻한다.

**활용 단어**
- 白色(백색) : 하얀 빛깔.
- 色紙(색지) : 색종이.

· 白(흰 백) · 紙(종이 지)

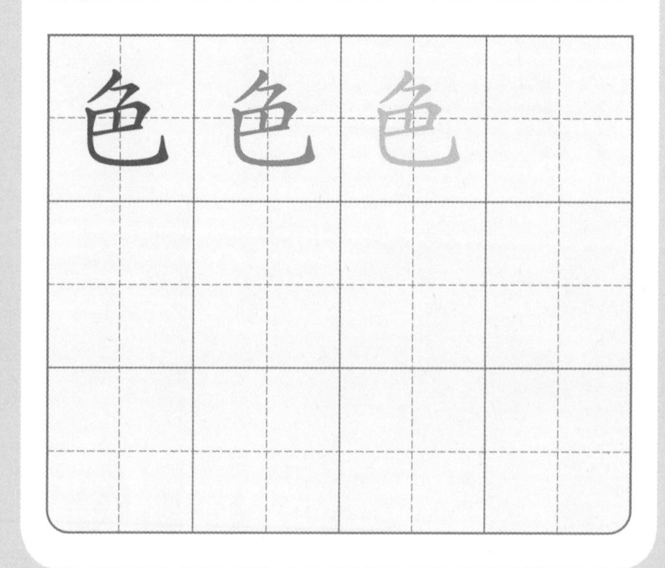

**필순** 丿 ⺈ ⺈ 㐃 刍 色

色 色 色

| 중국 | 来 |
|---|---|
| 일본 | 来 |

| 올 | 래(ː) |
|---|---|
| 人부 | 총8획 |

**글자의 유래** **나무(木)** 옆에 **사람들이(从)** '**옮**'처럼 보이나, 본래 '**보리**' 모양으로 귀한 곡식을 거두어 '**오다**'를 뜻한다.

**활용 단어**
- 來日(내일) : 오늘의 다음 날.
- 去來(거래) : 상품을 사고파는 일.

· 日(날 일) · 去(갈 거)

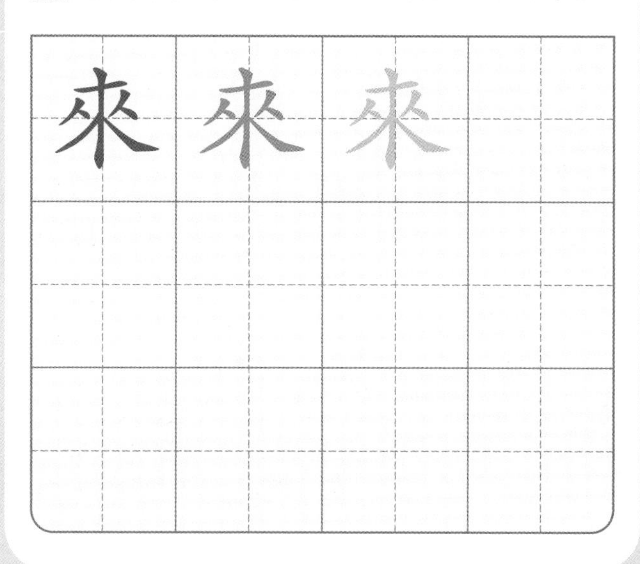

필순 一 ㄏ ⺈ ⺈⺈ 从 㚉 來 來

來 來 來

| 중국 | 车 |
|---|---|
| 일본 | 車 |

| 수레 수레 | 거 차 |
|---|---|
| 車부 | 총7획 |

**글자의 유래** 전차(戰車)로 사용되던 '**수레**'나 '**마차**'를 뜻한다.

**활용 단어**
- 車馬(거마) : 수레와 말.
- 車道(차도) : 차가 다니는 길.

· 馬(말 마) · 道(길 도)

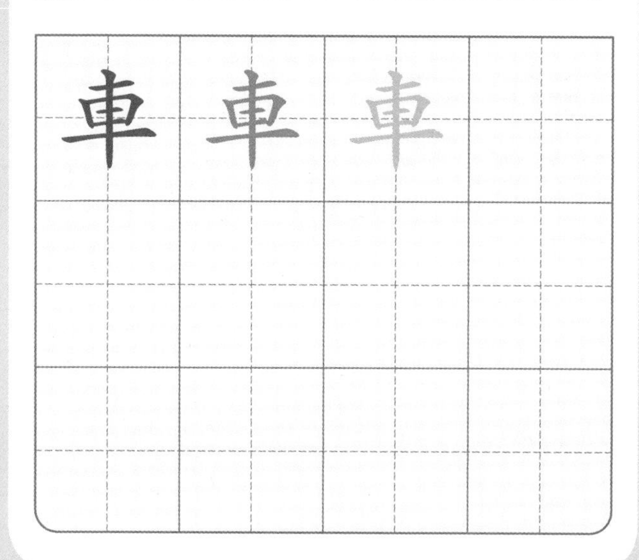

필순 一 ㄏ 币 百 亘 亘 車

車 車 車

| 중국 | 旗 |
|---|---|
| 일본 | 旗 |

| 기 / 깃발 | 기 / 기 |
|---|---|
| 方부 | 총14획 |

**글자의 유래** 짐승을 그린 **기**(㫃)로 일정한 **장소**(**其**)에 세워던 군대의 '**기**'를 뜻한다. 其(기)는 곡식 쭉정이를 고르는 '키'로, '일정한 곳'에 둔다.

**활용 단어**
- 旗手(기수) : 기를 드는 사람.
- 國旗(국기) : 한 나라를 상징하는 기.

・手(손 수) ・國(나라 국)

필순 丶 亠 亣 方 方 方 於 旂 旂 旗 旗 旗

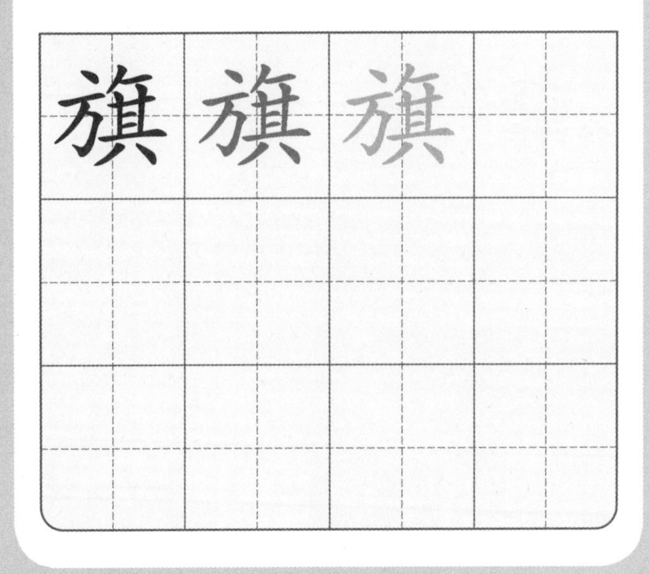

| 중국 | 同 |
|---|---|
| 일본 | 同 |

| 한가지 | 동 |
|---|---|
| 口부 | 총6획 |

**글자의 유래** **여럿이**(凡=冃) 우물**입구**(**口**)를 함께 덮는 데서 '**함께**' '**한 가지**'를 뜻한다.

**활용 단어**
- 同門(동문) : 같은 학교의 출신자.
- 同生(동생) : 자기보다 나이가 적은 사람.

・門(문 문) ・生(날 생)

필순 丨 冂 冂 冋 同 同

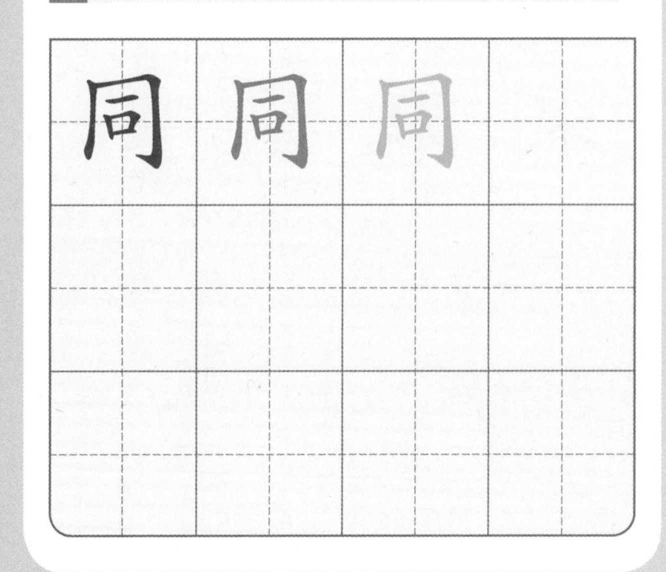

| 중국 | 重 |
|---|---|
| 일본 | 重 |

| 무거울 중 ː<br>거듭 중 ː | |
|---|---|
| 里부 | 총9획 |

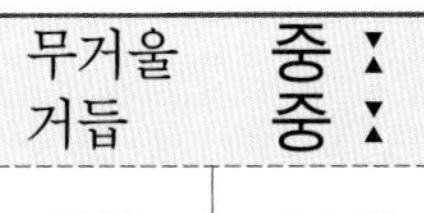

**글자의 유래** **사람**(亻)이 중요한 **짐**(東)을 지고 있는( ) 데서 **'무거움' '중요함' '거듭'**을 뜻한다.

**활용 단어**
- 重大(중대) : 무겁고 큼. 아주 중요함.
- 重力(중력) : 지구 위의 물체가 지구 중심으로부터 받는 힘.

• 大(큰 대) • 力(힘 력)

필순 ㇒ 二 千 台 肓 盲 亘 重 重

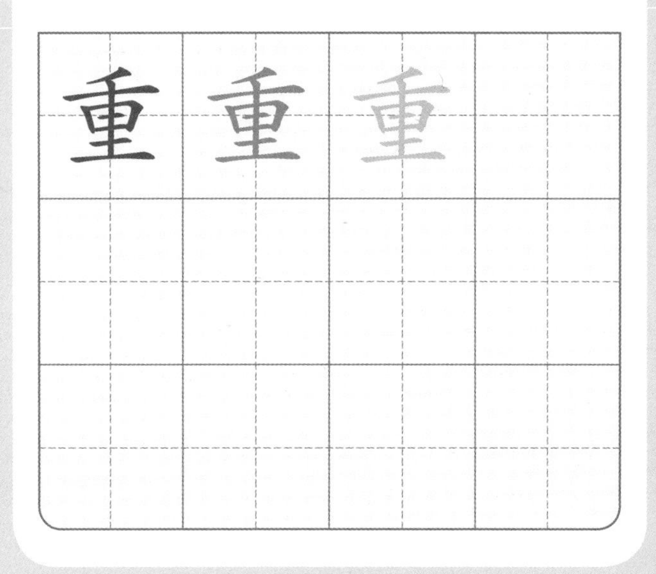

| 중국 | 有 |
|---|---|
| 일본 | 有 |

| 있을 유 ː | |
|---|---|
| 月부 | 총6획 |

**글자의 유래** **손**(又=ナ)에 **고깃**(月)덩이가 있는( ) 데서 **'있다'**를 뜻한다.

**활용 단어**
- 有力(유력) : 힘이 있음. 세력이 있음.
- 所有(소유) : 가지고 있음.

• 力(힘 력) • 所(바 소)

필순 ノ ナ 才 冇 有 有

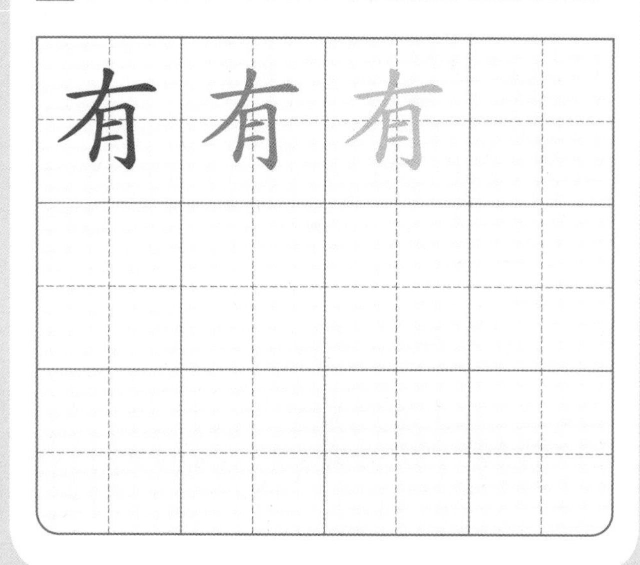

| 중국 | 事 |
|---|---|
| 일본 | 事 |

| 일 섬길 | 사ː 사ː | |
|---|---|---|
| 亅부 | 총8획 | |

**글자의 유래** **장식**(一)과 **깃발**(口)달린 **손**(彐)에 든 **깃대**(丨)나 도구로 **'일'**을 함을 뜻한다.

**활용 단어**
- 事前(사전) : 무슨 일이 있기 전.
- 大事(대사) : 큰일.

·前(앞 전) ·大(큰 대)

필순 一 𠃍 ㄱ ㄱ 写 写 写 事

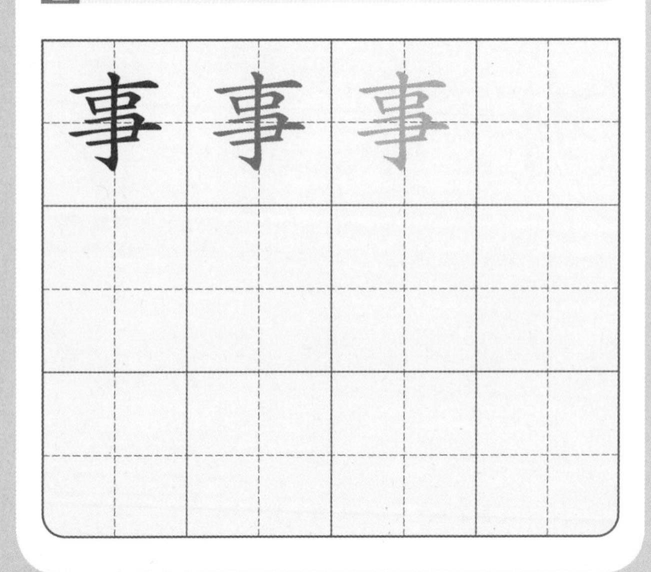

# 休

| 중국 | 休 |
|---|---|
| 일본 | 休 |

| 쉴 | 휴 | |
|---|---|---|
| 人부 | 총6획 | |

**글자의 유래** **사람**(亻)이 **나무**(木) 밑에서 쉬는 데서 **'쉬다'** **'그침'**을 뜻한다.

**활용 단어**
- 休校(휴교) : 학교에서 수업을 한동안 쉼.
- 休學(휴학) : 학생이 병이나 사고로 일정 기간 학업을 쉼.

·校(학교 교) ·學(배울 학)

필순 ノ 亻 亻 什 仕 休

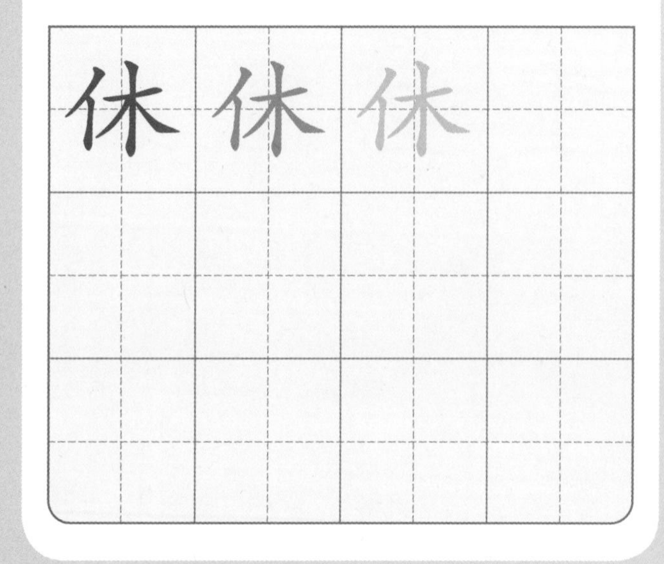

| 아니 불<br>아니 부 | |
|---|---|
| 一부 | 총4획 |

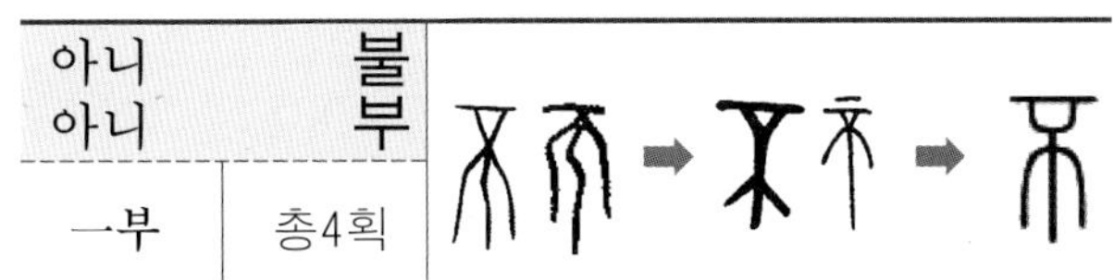

**글자의 유래** **땅**(一) 아래 **뿌리**(小)가 아직 싹이 트지 '**아니함**'을 뜻한다.

**활용 단어**
- 不便(불편) : 편하지 아니함.
- 不正(부정) : 바르지 않음.

• 便(편할 편) • 正(바를 정)

필순 一 ア 不 不

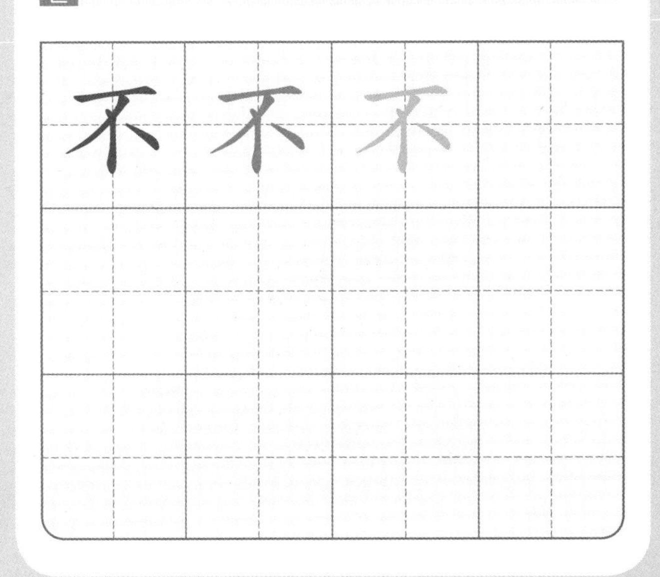


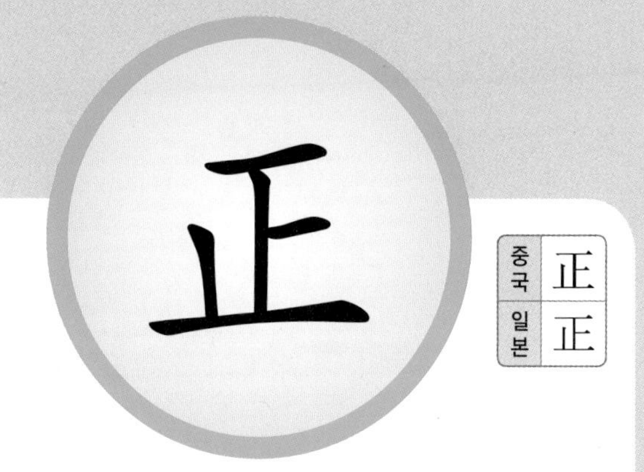


| 바를 정(ː) | |
|---|---|
| 止부 | 총5획 |

**글자의 유래** 잘못된 **나라**(口=一)를 **발**(止)로 나아가 '**바르게**' '**바로잡음**'을 뜻한다.

**활용 단어**
- 正直(정직) : 바르고 곧음.
- 正月(정월) : 한 해의 첫째 달.

• 直(곧을 직) • 月(달 월)

필순 一 丅 下 疋 正

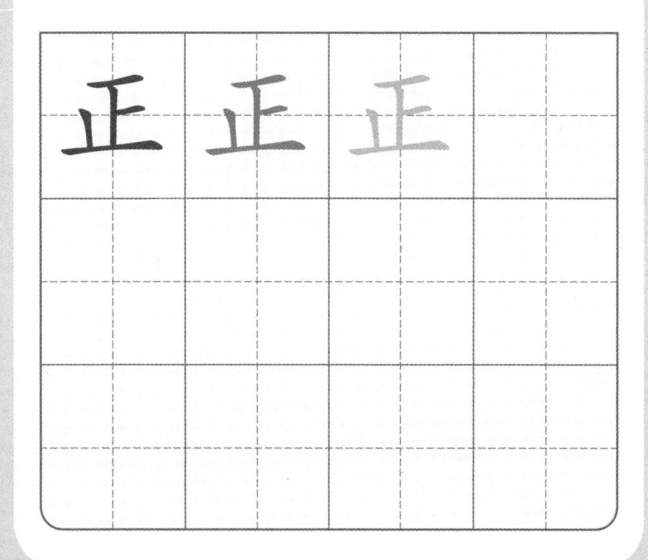

| 중국 | 登 |
|---|---|
| 일본 | 登 |

| 오를 | 등 |
|---|---|
| 癶부 | 총12획 |

**글자의 유래** **두 발(癶)**을 **제기(豆)** 앞에 두어, 제물을 들고 제단에 '**오름**'을 뜻한다.

**활용 단어**
- 登場(등장) : 무대나 강단에 나타남.
- 登校(등교) : 학교에 감.

• 場(마당 장) • 校(학교 교)

필순

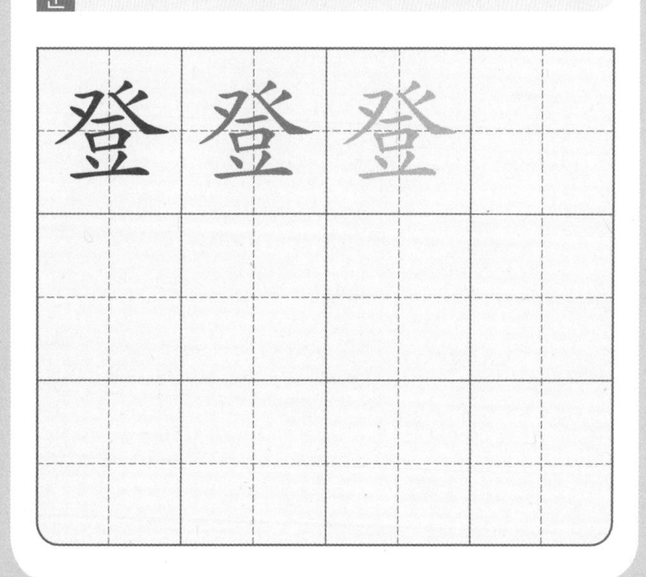

## 사자성어

**身土不二** 신토불이

자기가 사는 땅에서 생산되는 농산물이 자신의 체질에 잘 맞는다는 뜻이다.

**登場人物** 등장인물

무대나 영화, 소설, 희곡 또는 역사 등 어떤 장면에 나타나는 인물을 가리킨다.

**室内活動** 실내활동

방 안이나 집 안에서 몸을 움직이며 하는 일을 말한다.

# 확인 학습 문제

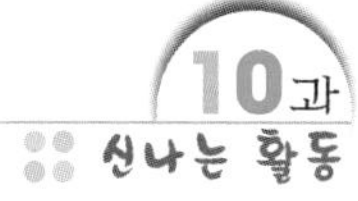




**1** 다음 漢字(한자)의 訓(훈)과 音(음)을 쓰세요.

보기 音 [ 소리 음 ]

(1) 活 [ ]　(2) 動 [ ]　(3) 氣 [ ]

(4) 色 [ ]　(5) 來 [ ]　(6) 車 [ ]

(7) 旗 [ ]　(8) 同 [ ]　(9) 重 [ ]

(10) 有 [ ]　(11) 事 [ ]　(12) 休 [ ]

(13) 不 [ ]　(14) 正 [ ]　(15) 登 [ ]

**2** 다음 漢字語(한자어)의 讀音(독음)을 쓰세요.

(1) 登場 [ ]　(2) 正直 [ ]　(3) 不便 [ ]

(4) 休校 [ ]　(5) 事前 [ ]　(6) 所有 [ ]

(7) 重大 [ ]　(8) 同門 [ ]　(9) 國旗 [ ]

(10) 車道 [ ]　(11) 來日 [ ]　(12) 色紙 [ ]

(13) 氣力 [ ]　(14) 動物 [ ]　(15) 生活 [ ]

**3** 다음 漢字語(한자어)의 뜻을 쓰세요.

(1) 色紙 : (　　　　　　　　　　)

(2) 登校 : (　　　　　　　　　　)

(3) 自動 : (　　　　　　　　　　)

**4** 다음 밑줄 친 漢字語(한자어)의 讀音(독음)을 쓰세요.

(1) 개미는 집단으로 모여서 生活한다. ············ (　　　)
(2) 과학의 발달로 自動으로 움직이는 로봇이 생겼다. ············ (　　　)
(3) 젊은이는 氣力이 왕성하다. ············ (　　　)
(4) 눈이 오니 온 세상이 白色이 되었다. ············ (　　　)
(5) 차가 다니는 길을 車道라고 한다. ············ (　　　)
(6) 우리 나라 國旗는 태극기이다. ············ (　　　)
(7) 내 同生은 유치원에 다닌다. ············ (　　　)
(8) 나라의 안정이 가장 重大한 일이다. ············ (　　　)
(9) 집안 大事에 친척이 모두 모였다. ············ (　　　)
(10) 전염병이 심하면 학교는 잠시 休校한다. ············ (　　　)
(11) 시험을 볼 때 不正한 행동을 하면 안 된다. ············ (　　　)
(12) 운동회 날 아침 登校는 항상 마음이 설렌다. ············ (　　　)

**5** 다음 漢字語(한자어)에 맞는 뜻을 연결하세요.

| | |
|---|---|
| (1) 不便 · | · ㉠ 살아 움직이는 힘 |
| (2) 正直 · | · ㉡ 일이 있기 전 |
| (3) 活力 · | · ㉢ 편하지 아니함 |
| (4) 事前 · | · ㉣ 바르고 곧음 |
| (5) 所有 · | · ㉤ 기를 드는 사람 |
| (6) 同門 · | · ㉥ 불 기운, 화난 기운 |
| (7) 旗手 · | · ㉦ 가지고 있음 |
| (8) 火氣 · | · ㉧ 같은 학교의 출신자 |

# 진흥회, 검정회
## 추가 한자 익히기

| 중국 | 犬 |
|---|---|
| 일본 | 犬 |

검정 7급

| 개 견 | |
|---|---|
| 犬부 | 총4획 |

**글자의 유래** **개**의 **옆모습**을 나타낸 것으로 '**개**'를 뜻하나, 자신을 낮추거나 하찮은 것을 비유하기도 한다.

**활용 단어**
- 犬馬(견마) : 개와 말. 자신을 낮추는 말.
- 名犬(명견) : 이름난 개.

· 馬(말 마) · 名(이름 명)

필순 一 ナ 大 犬

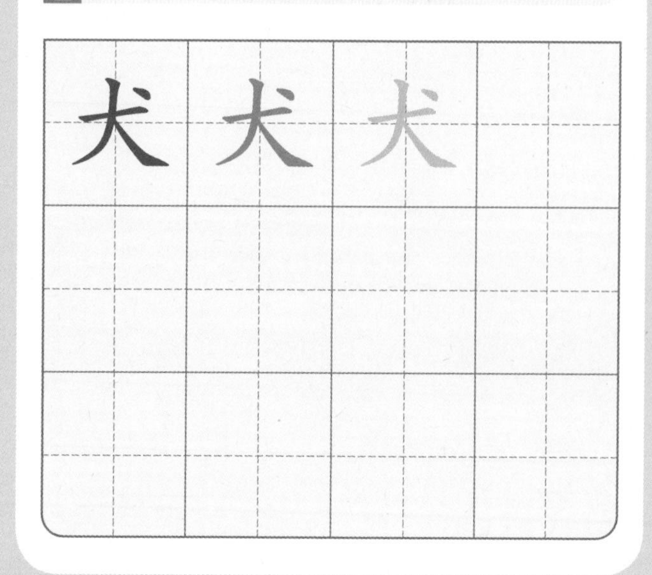

| 중국 | 马 |
|---|---|
| 일본 | 馬 |

검정 7급

| 말 마 : | |
|---|---|
| 馬부 | 총10획 |

**글자의 유래** 말의 눈과 깃털과 다리를 강조한 모양으로 '**말**'을 뜻한다.

**활용 단어**
- 白馬(백마): 털빛이 흰 말.
- 馬力(마력): 말 한마리가 끄는 힘.

· 白(흰 백) · 力(힘 력)

필순 𠂆 𠂇 ... 馬 馬 馬 馬 馬

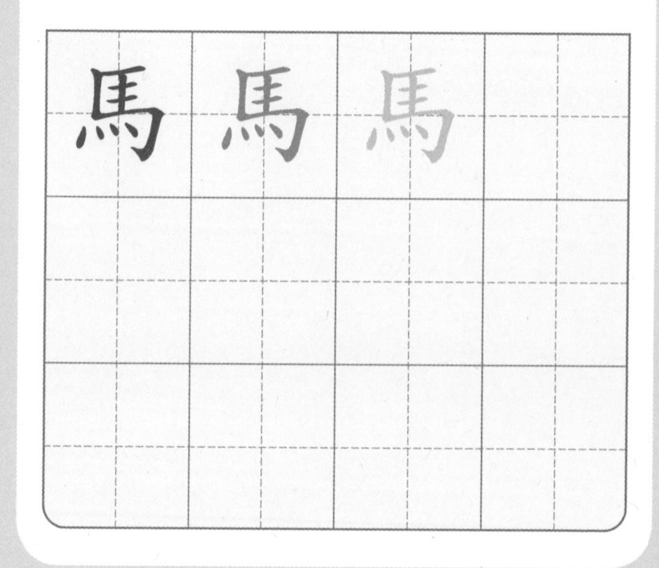

| 소 | 우ː | |
| --- | --- | --- |
| 牛부 | 총4획 | 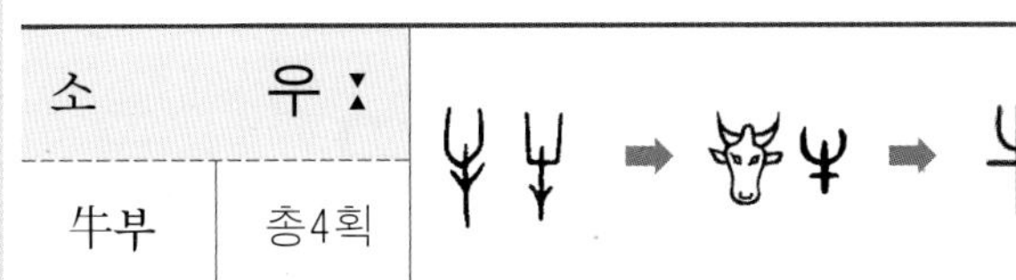 |

글자의 유래 소뿔과 귀 등 **소머리**(𰁈)의 특징을 그려 '**소**'를 뜻한다.

활용 단어
- 農牛(농우) : 농사에 쓰이는 소.
- 牛耳(우이) : 쇠귀.

· 農(농사 농) · 耳(귀 이)

필순 ノ 𠂉 𠂉 牛

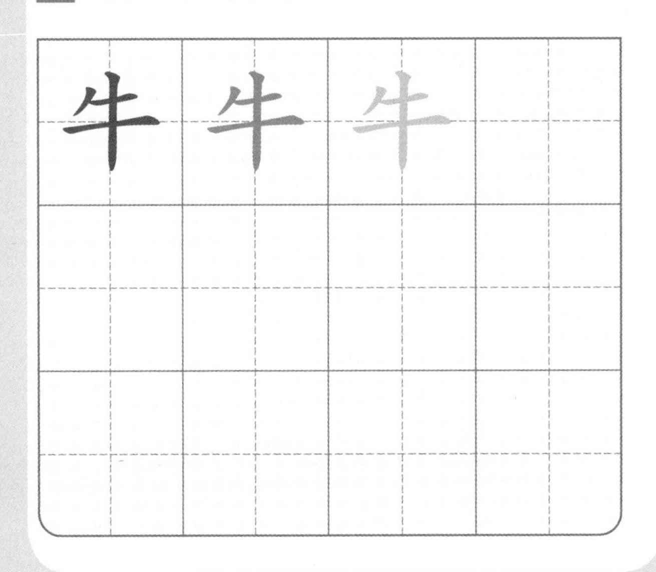

| 양 | 양 | |
| --- | --- | --- |
| 羊부 | 총6획 | 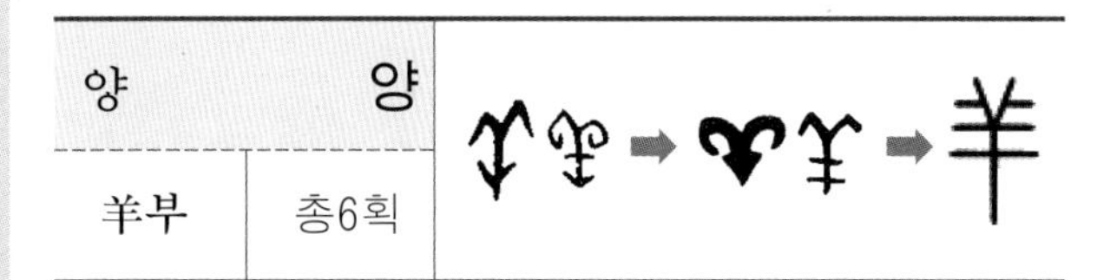 |

글자의 유래 양의 머리에 있는 두 뿔을 강조하여 **희생 재물**로 많이 쓰이는 '**양**'을 뜻한다.
***참고** : '芉'이 本字(본자).

활용 단어
- 山羊(산양): 산악에 사는 양.
- 牛羊(우양): 소와 양.

· 山(메 산) · 牛(소 우)

필순 丶 丷 䒑 䒑 兰 羊

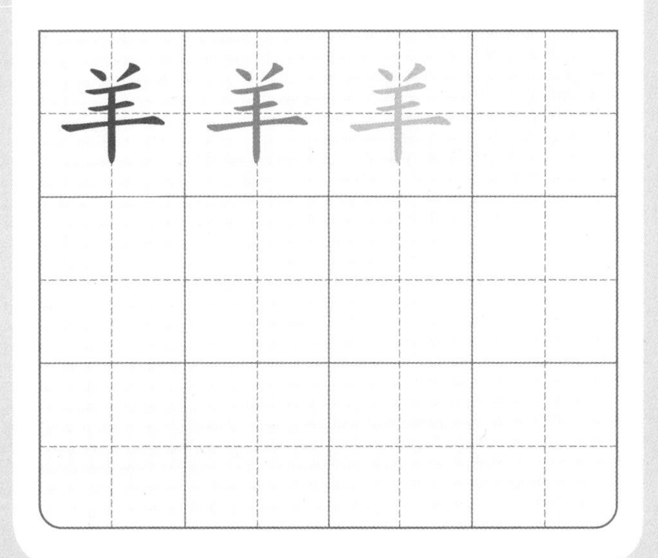

| 중국 | 鱼 |
|---|---|
| 일본 | 魚 |

검정 7급

| 물고기 어 | |
|---|---|
| 魚부 | 총11획 |

글자의 유래 물고기의 **머리**(⺈)와 **몸통**(田) **꼬리**(灬)를 나타낸 '**물고기**'의 모양이다.

활용 단어
- 大魚(대어) : 큰 물고기.
- 活魚(활어) : 살아있는 물고기.

· 大(큰 대) · 活(살 활)

필순 丿 ⺈ ⺈ 㑒 ... 魚

| 중국 | 己 |
|---|---|
| 일본 | 己 |

검정 7급

| 몸 기(ː) | |
|---|---|
| 己부 | 총3획 |

글자의 유래 주살이나, 여러 실을 묶는 **중심** 몸인, 벼리가 되는 '**굵은**'실에서 '**몸**' '**자기**'를 뜻한다.
*참고 : '巳(**뱀 사**)'나, '已(이미 **이**)'와 혼용한다.

활용 단어
- 自己(자기): 자기 자신.
- 利己(이기): 자기 이익만 생각함.

· 自 (스스로 자) · 利 (이로울 리)

필순 ㇆ コ 己

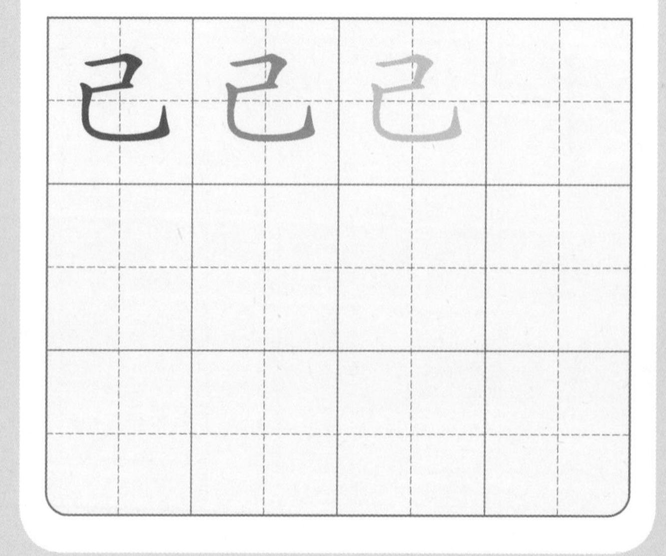

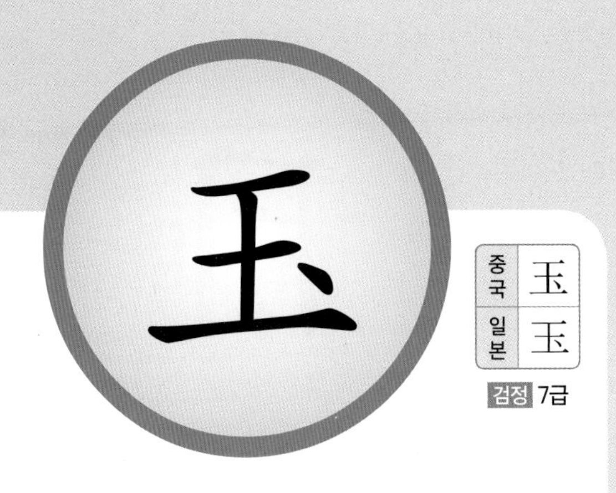

| 중국 | 玉 |
|---|---|
| 일본 | 玉 |

검정 7급

| 구슬 | 옥 |
|---|---|
| 玉부 | 총5획 |

글자의 유래 구슬(三)을 줄(丨)에 일정한 간격으로 꿴 모양(丰)으로, 王(왕)과 구분하기 위해 '丶'를 더해 '옥'을 뜻한다.

활용 단어
- 玉石(옥석) : 옥돌. 옥과 돌.
- 白玉(백옥) : 흰 빛깔의 옥. 흰 구슬.

· 石(돌 석) · 白(흰 백)

필순 一 二 千 王 玉

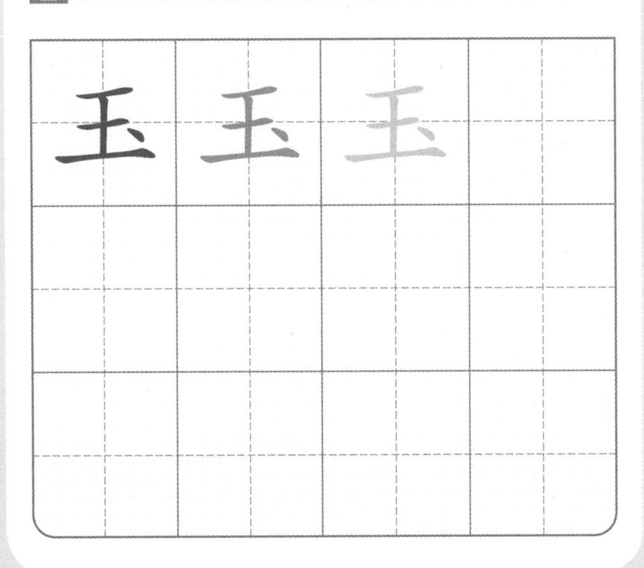

| 중국 | 石 |
|---|---|
| 일본 | 石 |

진흥 7급
검정 7급

| 돌 | 석 |
|---|---|
| 石부 | 총5획 |

글자의 유래 산 언덕(厂) 아래에 돌(口)덩이 모양(石)으로 단단하고 강한 '돌'을 뜻한다.

활용 단어
- 石門(석문) : 돌로 만든 문.
- 立石(입석) : 선돌. 비석 따위를 세움.

· 門(문 문) · 立(설 립)

필순 一 丆 不 石 石

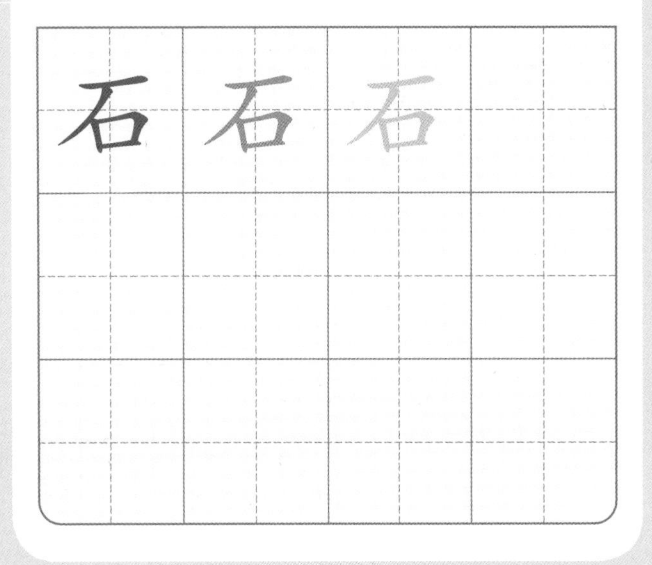

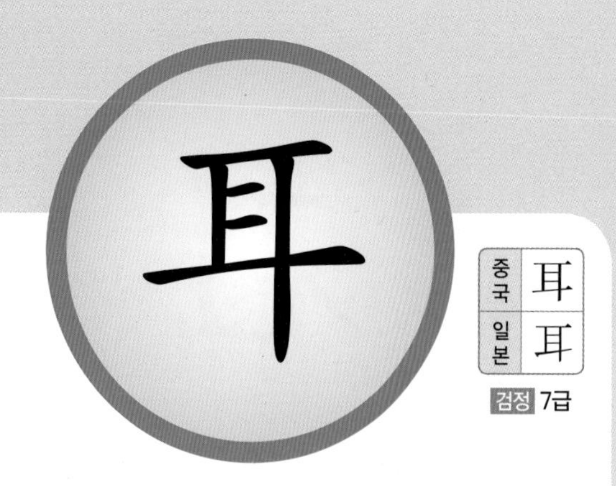


| 중국 | 耳 |
|---|---|
| 일본 | 耳 |

검정 7급

| 귀 | 이ː |
|---|---|
| 耳부 | 총6획 |

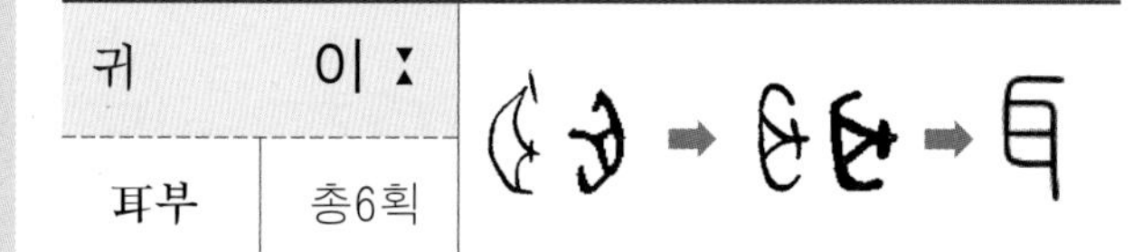

글자의 유래 귀의 윤곽과 귓구멍 모양에서 **소리**와 관계있는 '**귀**'를 뜻한다.

활용 단어
- 耳目(이목) : 귀와 눈. 주위나 관심.
- 木耳(목이) : 나무에서 자란 버섯.

· 目(눈 목) · 木(나무 목)

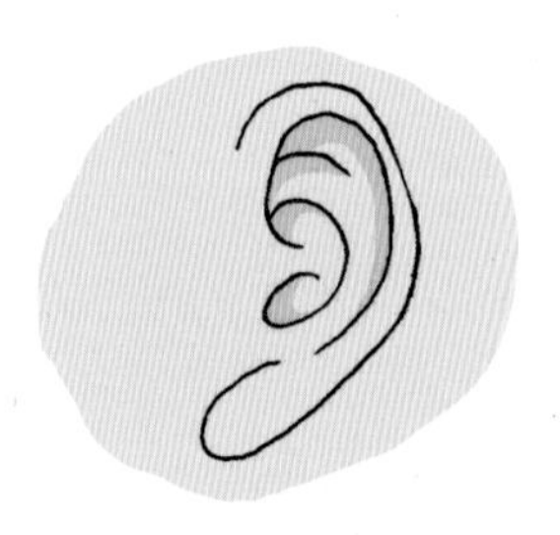

필순 一 丆 F F 王 耳

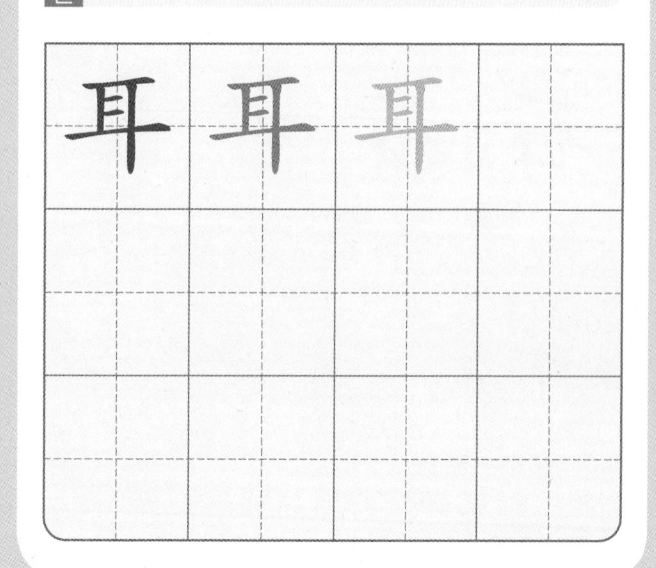

| 중국 | 目 |
|---|---|
| 일본 | 目 |

진흥 7급
검정 7급

| 눈 | 목ː |
|---|---|
| 目부 | 총5획 |

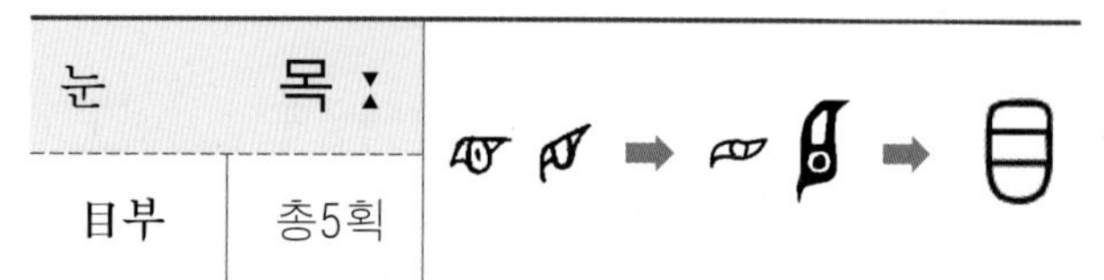

글자의 유래 눈동자를 강조한 **눈**( ) 모양으로 '**눈**'을 뜻한다.

활용 단어
- 名目(명목) : 겉으로 내세우는 이름.
- 面目(면목) : 얼굴이나 생김새.

· 名(이름 명) · 面(얼굴 면)

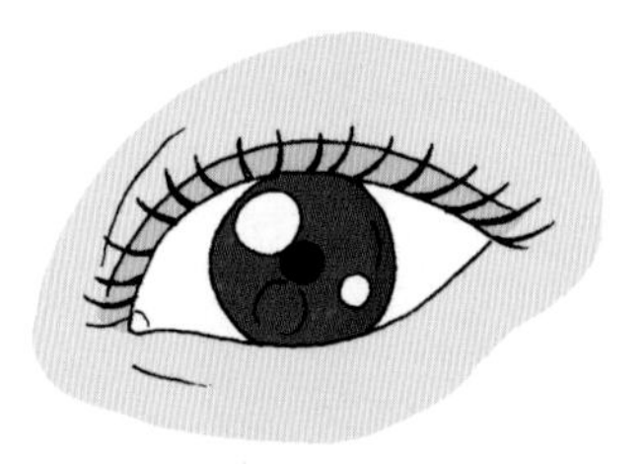

필순 丨 冂 月 月 目

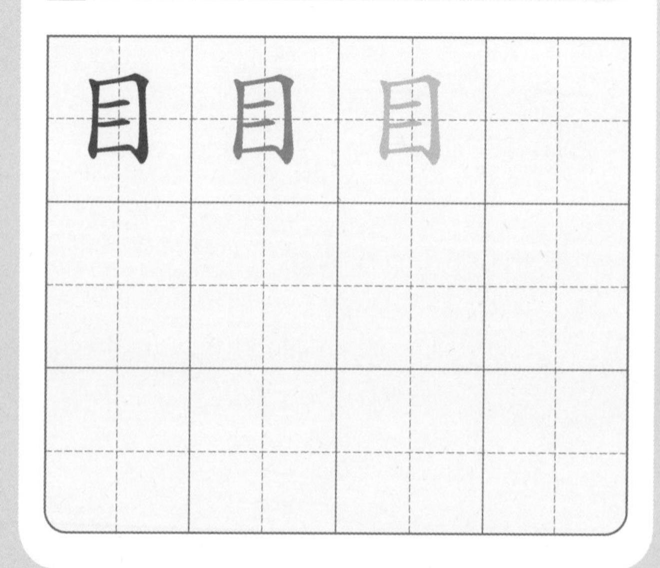

# 진흥회 교과 어휘

• 계산(計算) [셀/헤아릴 계, 셈 산]: 셈(算)을 헤아림(計). 수량을 셈. 식을 세워 수치를 구하는 일. 어떤 일을 예상함. 지불해야 할 값을 치르는 일.

• 계획(計劃·計) [셀/생각할 계, 그을/나눌 획]: 방법·절차 등을 잘 생각하여(計) 나눔(劃). 앞으로 할 일의 절차, 방법, 규모 따위를 미리 헤아려 작정함. 해야 할 일을 미리 꾀하여 나눔.

• 교실(敎室) [가르칠 교, 집/방 실]: 학교에서 학생을 가르치는(敎) 방(室). 유치원, 초등 학교, 중·고등학교에서 학습 활동이 이루어지는 방.

• 규칙(規則) [법 규, 법칙 칙]: 단체에서 행위, 절차 등의 기준을 법(規)으로 정한 법칙(法則). 여러 사람이 다 같이 지키기로 작정한 법칙. 제정된 질서. 사람의 행위나 사무를 다루는 표준이 되는 것. 어떤 사건이나 행위의 한결 같은 성질.

• 모형(模型·模形) [본뜰 모, 모형/거푸집 형]: 똑같은 모양의 물건을 본떠(模) 만들기 위한 거푸집(型) 같은 틀. 원형을 줄여서 만든 본. 실물의 형태를 그대로 재현하여 같거나 축소한 크기로 만든 물건.

• 문법(文法) [글월 문, 법 법]: 문장(文章) 구성 법칙(法則). 말소리나 단어·문장·어휘 등에 관한 일정한 규칙. 언어의 구성 및 운용상의 규칙.

• 민속(民俗) [백성 민, 풍속 속]: 민간(民間)의 풍속(風俗). 민간 생활과 관련된 신앙·습관·풍속·전설·기술·전승·문화 따위를 통틀어 이르는 말.

• 발음(發音) [필/낼 발, 소리 음]: 소리(音)를 냄(發). 말을 이루는 소리를 내는 일. 소리내기.

• 방법(方法) [모/방법 방, 법 법]: 어떤 일을 하기 위한 방법(方法)이나 수법(手法). 어떤 일을 하기 위한 수단.

• 배열(排列·配列) [밀칠/늘어설 배, 벌릴/벌일 렬]: 죽 늘어세워(排) 열(列)을 지음. 일정한 간격이나 차례로 나누어 벌려 놓음.

• 변(邊) [가 변]: 어떤 장소나 물건의 가(邊)장자리. 다각형을 이루는 하나하나의 직선.

• 부호(符號) [부호/부신 부, 이름 호]: 부신(符信)처럼 약속된 기호(記號)의 이름. 일정한 뜻을 나타내기 위하여 정한 기호. 수학에서 양수·음수를 나타내는 기호. [곧, '+' '−'].

• 분명(分明)(나눌 분, 밝을 명) [나눌 분, 밝힐 명]: 분별(分別)하여 확실히 밝힘(明). 틀림없이 확실하게.

• 삼각형(三角形) [석 삼, 뿔 각, 모양 형]: 세(三)뿔(角) 모양의 도형(圖形). 세 개의 선분으로 둘러싸인 평면 도형. 세 점의 각각을 맺는 선분에 의하여 이루어지는 평면 도형.

• 상상(想像) [생각 상, 모양/형상 상]: 형상(像)을 생각함(想). 어떤 사물의 사정이나 마음을 미루어 생각함. 이미 아는 사실이나 관념을 재료로 하여 새 사실과 새 관념을 만드는 작용.

• 선(線) [줄 선: 그어놓은 줄(線)이나 금. 물체와 물체를 경계 짓는 곳. 가늘고 긴 것을 이르는 말.

• 선심(善心) [착할 선, 마음 심]: 착한(善) 마음(心). 남에게 도움을 주려 베푸는 후한 마음.

• 시(詩) [시 시]: 시(詩). 문학의 한 장르. 자연이나 사회현상에서 느낀 생각을 운율을 가진 간결한 언어로 나타낸 문학.

• 시간(時間) [때 시, 사이 간]: 어떤 시각에서 어떤 시각(時刻)까지의 사이(間). 무슨 일을 하기 위하여 정한 일정한 시간.

• 시계(時計) [때 시, 셀 계]: 시간(時間)을 세는(計) 기계. 시각을 나타내거나 시간을 재는 장치 또는 기계를 통틀어 이르는 말.

• 식(式) [법 식]: 정식(正式). 표준. 규칙.

- 신호(信號) [믿을 신, 이름/부호 호]: 서로 믿고(信) 연락하여 의사를 전하는 부호(號). 서로 떨어져 있는 두 지점 사이에 일정한 부호(符號)를 써서 의사를 통하는 방법. 교통신호 따위.
- 실감(實感) [열매/실제 실, 느낄 감]: 실제(實際)의 느낌(感). 실제로 대하는 것 같은 느낌. 실제로 대하거나 체험한 느낌.
- 안전(安全) [편안/편안할 안, 온전 전]: 편안하고(安) 온전함(全). 위험하지 않음. 편안(便安)하여 탈이나 위험성(危險性)이 없음.
- 역할(役割) [부릴/일 역, 벨/나눌 할]: 나누어(割) 맡은 일(役). 제가 하여야 할 제 앞의 일. 구실. 특별히 맡은 소임.
- 오전(午前) [낮 오, 앞 전]: 정오(正午)의 앞(前) 시간. 자정으로부터 낮 열 두 시까지의 동안. 아침부터 낮 12시까지의 동안.
- 오후(午後) [낮 오, 뒤 후]: 정오(正午) 뒤(後)로부터 해가 질 때까지의 동안. 정오(正午)부터 밤 12시까지의 사이.
- 원(圓) [둥글 원]: 원(圓). 동그라미.
- 자세(姿勢) [모양/맵시 자, 형세 세]: 몸의 맵시(姿)나 형세(勢). 몸을 가누는 모양. 어떤 작을 취할 때 몸이 이루는 어떤 형태. 어떤 동작을 취할 때 몸이 이루는 어떤 형태.
- 자연(自然) [스스로 자, 그럴 연]: 사람의 힘이 더해지지 않은 스스로(自) 그러한(然) 상태. 사람의 힘을 더하지 않는 천연(天然) 그대로의 상태. 저절로 그렇게 되는 모양으로 사람의 힘을 더하지 않는 천연 그대로의 상태.
- 장면(場面) [마당/장소 장, 낯/눈앞 면]: 어떤 장소(場)에서 눈앞에 드러나는 면(面). 어떤 사건이 벌어지는 광경이나 경우. (연극·영화의) 한 정경.
- 정리(整理) [가지런할 정, 다스릴 리]: 가지런히(整) 잘 다스려(理) 바로잡음. 가지런히 바로잡음. 체계적으로 분류하고 종합함.
- 정직(正直) [바를 정, 곧을 직]: 바르고(正) 곧음(直). 거짓이나 꾸밈이 없이 성품이 바르고 곧음.
- 정확(正確) [바를 정, 굳을 확]: 바르고(正) 확실(確實)함. 잘못됨이나 어긋남이 없이 바르게 맞는 상태.
- 준비(準備) [준할/고를 준, 갖출 비]: 미리 고르게(準) 갖춤(備). (필요한 것을) 미리 마련하여 갖춤.
- 중요(重要) [무거울/중할 중, 요긴할 요]: 소중(所重)하고 요긴(要緊)함. 귀중하고 중요함. 매우 귀중하고 소중한 것.
- 질문(質問) [바탕/물을 질, 물을 문]: 잘 모르거나 알고 싶은 것을 물음(質=問). 잘 모르는 의문이나 이유를 물음.
- 체육(體育) [몸 체, 기를 육]: 건강한 몸(體)과 온전한 운동 능력을 기르는(育) 일, 또는 그것을 목적으로 하는 교육을 일컬음. 신체의 발달을 촉진하기 위하여 운동하는 것. 일정한 운동 따위를 통하여 신체를 튼튼하게 단련시키는 일.
- 체험(體驗) [몸 체, 시험/경험 험]: 몸(體)소 경험(經驗)함. 특정한 인격이 직접으로 경험한 과정. 몸소 경험함 또는 그 경험.
- 학년(學年) [배울 학, 해 년: 학제(學制)에 있어서 한 해(年)를 단위로 한 구분. 일 년간의 학습 과정의 단위. 수업하는 과목의 정도에 따라 일 년을 단위로 구분한 학교 교육의 단계.
- 학습(學習) [배울 학, 익힐 습]: 배우고(學) 익힘(習). 사물을 배워서 익히는 일. 배우고 공부함.
- 환경(環境) [고리 환, 지경/장소 경]: 고리(環) 같이 둘러싸고 있는 장소(境). 생활체를 둘러 싸고, 그것과 일정한 접촉을 유지하고 있는 외계. 거주하는 주위의 외계. 사람이나 동식물의 생존에 커다란 영향을 미치는, 눈·비·바람 등의 기후적 조건이나 산·강·바다·공기·햇빛·흙 등의 초자연적 조건.
- 활동(活動) [살 활, 움직일 동]: 활발(活潑)하게 행동(行動)함. 기운차게 움직임. 활력 있게 움직임. 어떤 일의 성과를 거두기 위해 애씀, 또는 어떤 일을 이루려고 돌아다님.

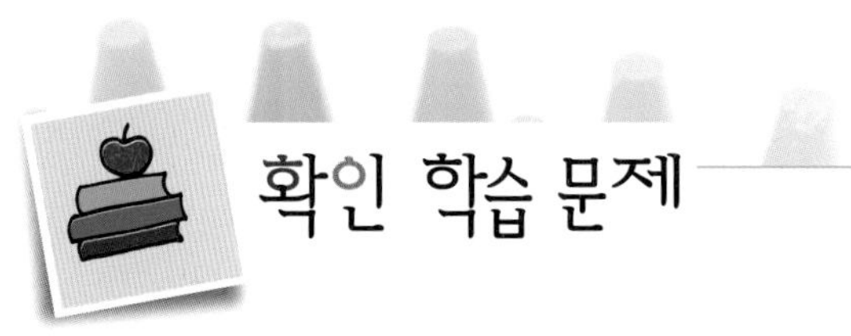

# 확인 학습 문제



**1** 다음 漢字(한자)의 訓(훈)과 音(음)을 쓰세요.

(1) 犬 (2) 馬 (3) 牛 (4) 羊

(5) 漁 (6) 己 (7) 玉 (8) 石

(9) 耳 (10) 目

**2** 다음 漢字語(한자어)의 讀音(독음)을 쓰세요.

(1) 計算 (2) 配列 (3) 時間 (4) 圓

(5) 質問 (6) 邊 (7) 時計 (8) 姿勢

(9) 體育 (10) 教室 (11) 符號 (12) 式

(13) 自然 (14) 體驗 (15) 規則 (16) 分明

(17) 信號 (18) 場面 (19) 學年 (20) 模型

(21) 三角形 (22) 實感 (23) 整理 (24) 文法

(25) 想像 (26) 安全 (27) 正直 (28) 環境

(29) 民俗 (30) 役割 (31) 正確 (32) 活動

(33) 發音 (34) 善心 (35) 午前 (36) 準備

(37) 方法 (38) 詩 (39) 午後 (40) 重要

附錄

# 부록

## 한자의 3요소

한자는 우리 말과 달리 글자마다 고유한 모양〔形〕과 소리〔音〕와 뜻〔義〕을 가지고 있는데, 이를 '한자의 3요소'라고 합니다. 따라서, 한자를 익힐 때는 3요소를 함께 익혀야 합니다.

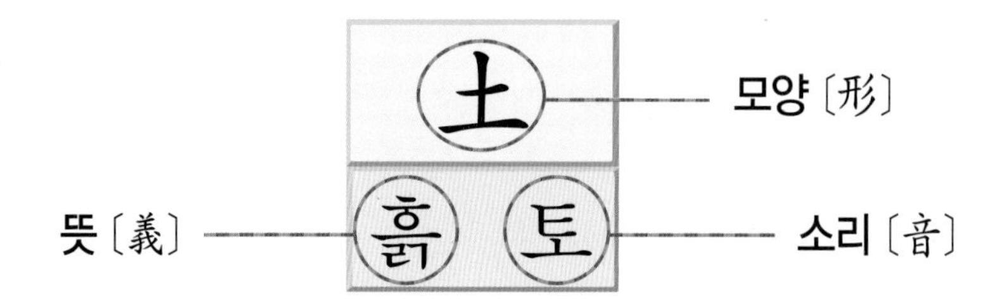

## 육서(六書)

**1 상형문자(象形文字)** : '모양을 본뜨다'라는 뜻으로, 사물의 객관적인 윤곽이나 특징을 그대로 본떠 만든 한자

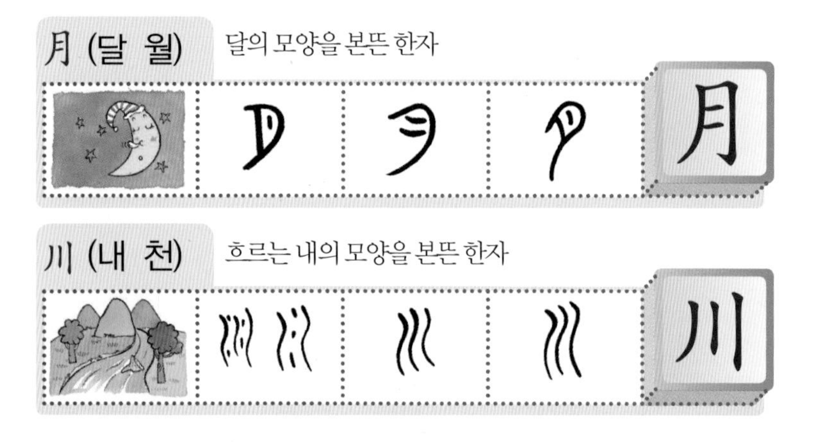


**2 지사문자(指事文字)** : '일을 가리키다'라는 뜻으로, 무형(無形)의 추상적인 개념을 상징적인 부호로 표시하여 일종의 약속으로 사용한 한자

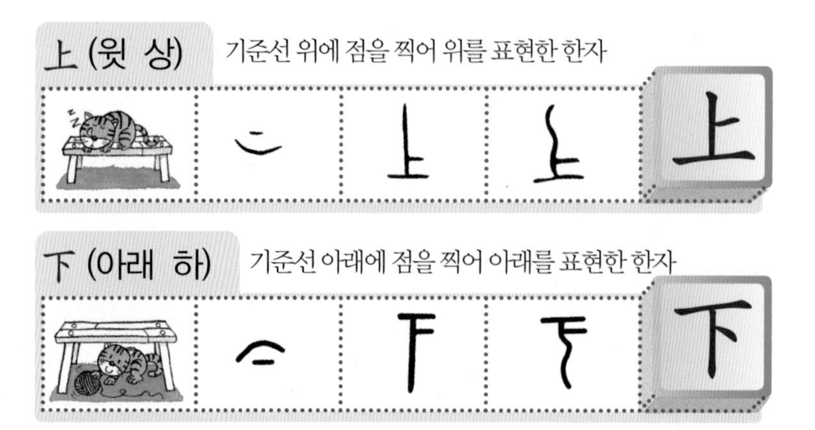

**3 회의문자(會意文字)** : '뜻을 모으다'라는 뜻으로, 두 개 이상의 상형자나 지사자를 합하여, 새로운 의미를 만들어 이내는 한자

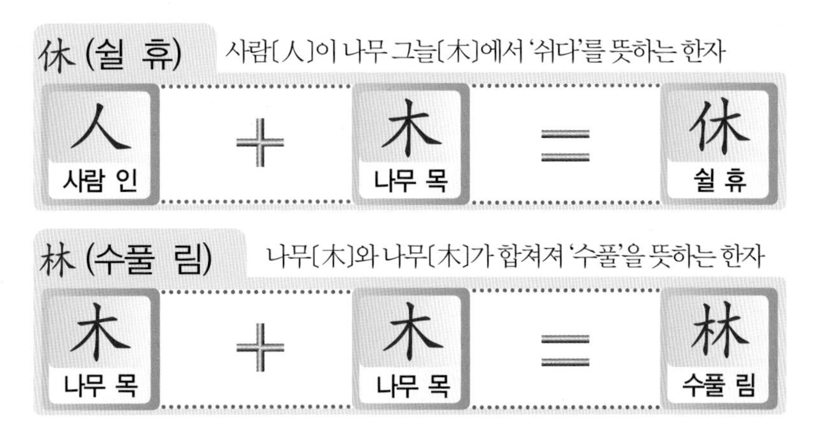


**4 형성문자(形聲文字)** : '모양과 소리'의 의미로, 명확하게 뜻 부분과 소리 부분을 구분해서 결합하는 방식의 한자

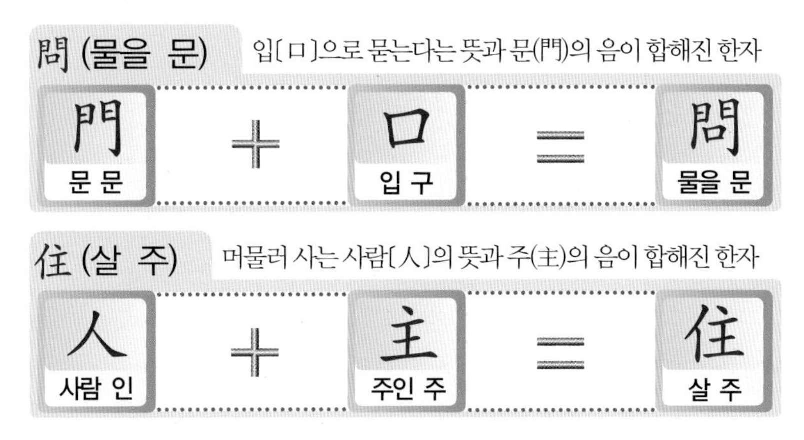


**5 전주문자(轉注文字)** : '굴러서 바뀌거나 변화되어 달라지다'라는 뜻으로, 본래의 의미에서 변화되어 다른 뜻을 지니게 된 한자

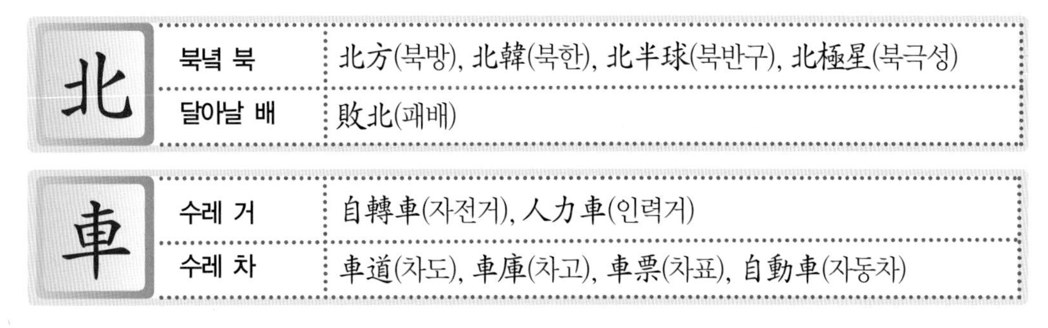

| 한자 | 뜻과 음 | 예 |
|---|---|---|
| 北 | 북녘 북 | 北方(북방), 北韓(북한), 北半球(북반구), 北極星(북극성) |
| | 달아날 배 | 敗北(패배) |
| 車 | 수레 거 | 自轉車(자전거), 人力車(인력거) |
| | 수레 차 | 車道(차도), 車庫(차고), 車票(차표), 自動車(자동차) |

**6 가차문자(假借文字)** : '빌려 쓰다'라는 의미로, 뜻을 나타내는 한자가 없을 때, 뜻과 관계없이 비슷한 음이나 모양을 가진 글자를 빌려 쓰는 한자

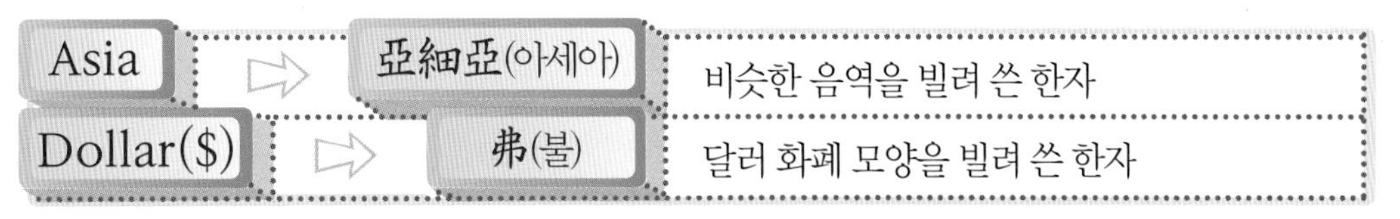

## 한자어의 짜임

### 1 주술관계 (主述關係)

주어와 서술어로 이루어진 짜임

□ ‖ □

日 ‖ 出 (일출 : 해가 뜨다.)

春 ‖ 來 (춘래 : 봄이 오다.)

### 2 술목관계 (述目關係)

서술어와 목적어로 이루어진 짜임

□ | □

立 | 志 (입지 : 뜻을 세우다.)

讀 | 書 (독서 : 책을 읽다.)

### 3 술보관계 (述補關係)

서술어와 보어로 이루어진 짜임

□ / □

登 / 山 (등산 : 산에 오르다.)

有 / 益 (유익 : 이익이 있다.)

### 4 수식관계 (修飾關係)

앞의 한자가 뒤의 한자를 꾸며 주는 짜임

□ → □

忠 → 臣 (충신 : 충성스런 신하) 青 → 山 (청산 : 푸른 산)

### 5 병렬관계 (竝列關係)

같은 성분의 한자끼리 연이어 결합한 짜임

□ = □

(1) 유사 관계 : 서로 뜻이 같거나 비슷한 글자끼리 이루어진 한자어

土 = 地 (토지 : 땅) 家 = 屋 (가옥 : 집)

□ ↔ □

(2) 대립 관계 : 서로 의미가 반대되는 한자로 이루어진 한자어

上 ↔ 下 (상하 : 위아래) 內 ↔ 外 (내외 : 안과 밖)

□ — □

(3) 대등 관계 : 서로 의미가 대등한 한자로 이루어진 한자어

草 — 木 (초목 : 풀과 나무) 日 — 月 (일월 : 해와 달)

## 한자의 필순

한자는 점과 획이 다양하게 교차하여 하나의 글자가 만들어지므로 쓰기가 다소 까다롭습니다. 그래서 한자의 기본적인 필순을 익혀야 합니다. 필순을 알면 한자의 구조를 이해하면서 한자를 균형 있게 잘 쓸 수 있을 뿐만 아니라 복잡한 한자도 쉽게 쓸 수 있습니다.

**1** 위에서 아래로 쓴다.

**2** 왼쪽에서 오른쪽으로 쓴다.

**3** 가로획을 먼저 쓰고, 세로획은 나중에 쓴다.

**4** 좌우가 대칭일 때는 가운데를 먼저 쓴다.

**5** 꿰뚫는 획은 나중에 쓴다.

(1) 세로로 뚫는 경우

(2) 가로로 뚫는 경우

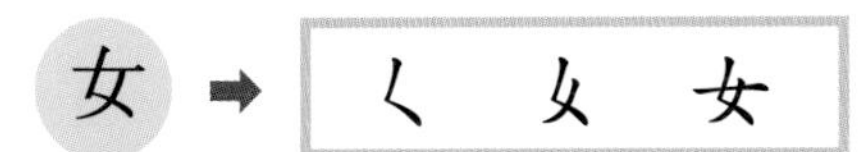

**6** 꿰뚫는 획이 밑이 막히면 먼저 쓴다.

**7** 삐침(㇒)은 파임(㇏)보다 먼저 쓴다.

**8** 몸과 안으로 이루어진 글자는 몸을 먼저 쓴다.

同 ➡ 丨 冂 冂 冋 同 同

**9** 오른쪽 위에 있는 점은 나중에 찍는다.

代 ➡ 丿 亻 仁 代 代

**10** 받침 중에서 走(辶)과 廴은 나중에 쓰고 나머지는 먼저 쓴다.

近 ➡ 丿 厂 斤 斤 斤 近 近 近

起 ➡ 土 丰 走 起 起 起

## 부수의 위치와 명칭

### ✱ 머리·두(頭·冠) : 부수가 글자 윗부분에 위치한다.

| 부수 | 명칭 | 예 | 예 |
|---|---|---|---|
| 亠 | 돼지해머리 | 亡 : 망할 **망** | 交 : 사귈 **교** |
| 宀 | 집 면(갓머리) | 安 : 편안 **안** | 室 : 집 **실** |
| 艹 | 풀 초 | 花 : 꽃 **화** | 英 : 꽃부리 **영** |
| 竹 | 대나무 죽 | 答 : 대답할 **답** | 筆 : 붓 **필** |

### ✱ 변(邊) : 부수가 글자 왼쪽 부분에 위치한다.

| 부수 | 명칭 | 예 | 예 |
|---|---|---|---|
| 亻 | 사람인변 | 仁 : 어질 **인** | 件 : 사건 **건** |
| 彳 | 두인변(자축거릴 척, 걸을 척) | 待 : 기다릴 **대** | 後 : 뒤 **후** |
| 忄 | 심방변(마음 심) | 性 : 성품 **성** | 悅 : 기쁠 **열** |
| 禾 | 벼 화 | 秋 : 가을 **추** | 私 : 사사로울 **사** |

### ✱ 방(傍) : 부수가 글자 오른쪽 부분에 위치한다.

| 부수 | 명칭 | 예 | 예 |
|---|---|---|---|
| 刂 | 선칼 도(칼 도) | 初 : 처음 **초** | 刊 : 새길 **간** |
| 阝 | 고을 읍 | 邦 : 나라 **방** | 郡 : 고을 **군** |
| 攵 | 칠 복 | 收 : 거둘 **수** | 改 : 고칠 **개** |
| 欠 | 하품 흠 | 歌 : 노래 **가** | 欺 : 속일 **기** |

### ✱ 발·다리 : 부수가 글자 아랫부분에 위치한다.

| 부수 | 명칭 | 예 | 예 |
|---|---|---|---|
| 儿 | 어진사람 인 | 元 : 으뜸 **원** | 兄 : 형 **형** |
| 八 | 여덟 팔 | 六 : 여섯 **륙** | 兵 : 군사 **병** |
| 灬 | 불 화 | 烏 : 까마귀 **오** | 照 : 비칠 **조** |
| 皿 | 그릇 명 | 益 : 유익할 **익** | 盛 : 성할 **성** |

### ✱ 엄(广) : 부수가 글자 위와 왼쪽 부분에 위치한다.

| 부수 | 명칭 | 예 | 예 |
|---|---|---|---|
| 尸 | 주검 시 | 局 : 판 **국** | 屋 : 집 **옥** |
| 戶 | 지게 호 | 房 : 방 **방** | 扁 : 작을 **편** |
| 广 | 집 엄 | 序 : 차례 **서** | 度 : 법도 **도** |
| 疒 | 병들 녁 | 病 : 병 **병** | 疲 : 피곤할 **피** |

**받침 :** 부수가 글자 왼쪽과 아랫부분에 위치한다.

| | | | |
|---|---|---|---|
| 廴 | 길게걸을 인(민책받침) | 延 : 늘일 **연** | 廷 : 조정 **정** |
| 辶 | 쉬엄쉬엄갈 착(책받침) | 近 : 가까울 **근** | 連 : 이을 **련** |
| 走 | 달아날 주 | 赴 : 다다를 **부** | 起 : 일어날 **기** |

**몸 :** 부수가 글자 둘레를 에워싸고 있는 부분에 위치한다.

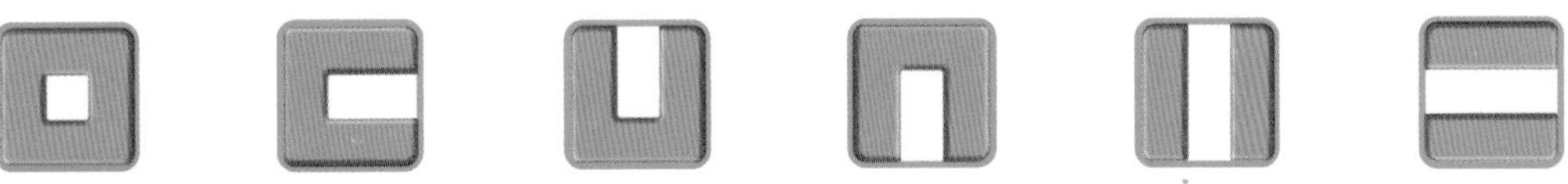

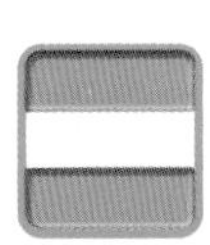

| | | | |
|---|---|---|---|
| 口 | 큰입구몸 | 囚 : 가둘 **수** | 國 : 나라 **국** |
| 匚 | 감출 혜 | 匹 : 짝 **필** | 區 : 지경 **구** |
| 凵 | 입벌릴 감(위터진입 구) | 凶 : 흉할 **흉** | 出 : 날 **출** |
| 門 | 문 문 | 開 : 열 **개** | 間 : 사이 **간** |
| 行 | 다닐 행 | 術 : 재주 **술** | 街 : 거리 **가** |
| 衣 | 옷 의 | 衰 : 쇠할 **쇠** | 衷 : 속마음 **충** |

**제부수 :** 부수가 한 글자 전체를 구성한다.

| | | | | | |
|---|---|---|---|---|---|
| 木 | 나무 목 | 火 | 불 화 | 金 | 쇠 금 |
| 水 | 물 수 | 山 | 메 산 | 女 | 계집 녀 |

## 기본 부수와 변형된 부수

| 기본자 | | 변형자 |
|---|---|---|
| 人(사람 인) | ➡ | 亻(仁) |
| 刀(칼 도) | ➡ | 刂(別) |
| 川(내 천) | ➡ | 巛(州) |
| 心(마음 심) | ➡ | 忄·⺗(性·慕) |
| 手(손 수) | ➡ | 扌(打) |
| 攴(칠 복) | ➡ | 攵(改) |
| 水(물 수) | ➡ | 氵·氺(江·泰) |
| 火(불 화) | ➡ | 灬(烈) |
| 爪(손톱 조) | ➡ | 爫(爭) |

| 기본자 | | 변형자 |
|---|---|---|
| 犬(개 견) | ➡ | 犭(狗) |
| 玉(구슬 옥) | ➡ | 王(珠) |
| 示(보일 시) | ➡ | 礻(礼) |
| 老(늙을 로) | ➡ | 耂(考) |
| 肉(고기 육) | ➡ | 月(肝) |
| 艸(풀 초) | ➡ | 艹(花) |
| 衣(옷 의) | ➡ | 衤(被) |
| 辵(쉬엄쉬엄갈 착) | ➡ | 辶(⻌) |
| 邑(고을 읍) | ➡ | 阝(우부방)(郡) |
| 阜(언덕 부) | ➡ | 阝(좌부방)(防) |

## 반대어·상대어

| | | | | | |
|---|---|---|---|---|---|
| 江(강 강) | ⇔ | 山(메 산) | 山(메 산) | ⇔ | 水(물 수) |
| 敎(가르칠 교) | ⇔ | 學(배울 학) | 山(메 산) | ⇔ | 川(내 천) |
| 國(나라 국) | ⇔ | 家(집 가) | 上(윗 상) | ⇔ | 下(아래 하) |
| 南(남녘 남) | ⇔ | 北(북녘 북) | 先(먼저 선) | ⇔ | 後(뒤 후) |
| 男(사내 남) | ⇔ | 女(계집 녀) | 水(물 수) | ⇔ | 火(불 화) |
| 內(안 내) | ⇔ | 外(바깥 외) | 手(손 수) | ⇔ | 足(발 족) |
| 老(늙을 로) | ⇔ | 少(적을 소) | 心(마음 심) | ⇔ | 身(몸 신) |
| 大(큰 대) | ⇔ | 小(작을 소) | 日(날 일) | ⇔ | 月(달 월) |
| 東(동녘 동) | ⇔ | 西(서녘 서) | 子(아들 자) | ⇔ | 女(계집 녀) |
| 登(오를 등) | ⇔ | 下(아래 하) | 前(앞 전) | ⇔ | 後(뒤 후) |
| 母(어미 모) | ⇔ | 女(계집 녀) | 左(왼 좌) | ⇔ | 右(오른 우) |
| 問(물을 문) | ⇔ | 答(대답 답) | 天(하늘 천) | ⇔ | 地(땅 지) |
| 物(물건 물) | ⇔ | 心(마음 심) | 草(풀 초) | ⇔ | 木(나무 목) |
| 夫(사나이 부) | ⇔ | 婦(아내 부) | 春(봄 춘) | ⇔ | 秋(가을 추) |
| 父(아비 부) | ⇔ | 母(어미 모) | 出(날 출) | ⇔ | 入(들 입) |
| 父(아비 부) | ⇔ | 子(아들 자) | 兄(형 형) | ⇔ | 弟(아우 제) |

## 동자이음어

한 글자가 2가지 이상 다른 소리로 읽히는 것을 말합니다.

| | | |
|---|---|---|
| 金 | 성 **김** | 金氏(김씨), 安東金(안동김) |
| | 쇠 **금** | 年金(연금), 金工(금공) |

성씨와 관계 있을 때만 '김'으로 읽습니다.

| | | |
|---|---|---|
| 北 | 북녘 **북** | 北方(북방), 北韓(북한) |
| | 달아날 **배** | 敗北(패배) *敗(질/깨뜨릴 패) |

'지다' '달아나다'와 관계 있을 때 '배'로 읽습니다.

| | | |
|---|---|---|
| 車 | 수레 **거** | 車馬(거마), 人力車(인력거) |
| | 수레 **차** | 車道(차도), 下車(하차) |

사람이나 동물의 힘으로 움직이는 것은 '거'로 읽습니다.

| 洞 | 골 **동** | 洞里(동리), 洞長(동장) |
| --- | --- | --- |
| | 통할 **통** | 洞察(통찰) *察(살필 찰) |

'뚫다' '통하다'의 뜻일 때는 '통'으로 읽습니다.

| 便 | 편할 **편** | 便安(편안), 便紙(편지) |
| --- | --- | --- |
| | 똥오줌 **변** | 便所(변소), 便器(변기) *器(그릇 기) |

똥오줌을 나타낼 때만 '변'으로 읽습니다.

| 不 | 아닐 **불** | 不孝(불효), 不安(불안) |
| --- | --- | --- |
| | 아닐 **부** | 不動(부동), 不正(부정) |

不(불)자 뒤에 'ㄷ' 'ㅈ'으로 시작되는 글자가 오면 '부'로 읽습니다.

## 읽기 어려운 한자

### 단어의 첫소리에 'ㄴ' 'ㄹ'이 오면 두음법칙(頭音法則)이 적용됩니다.

▶ **두음법칙** : 우리 말에서 단어의 첫소리에 어떤 소리가 오는 것을 꺼리는 현상
1. 첫소리에 'ㄹ'이 오는 것을 꺼리는 현상. ㉠ 량심(良心) ⇨ 양심
2. 중모음 앞에서 'ㄴ'이 첫소리로 오는 것을 꺼리는 현상. ㉠ 녀자(女子) ⇨ 여자

◉ 'ㄹ'이 'ㄴ'으로 변하는 경우

來(올 래) ········ 來年(내년) *'래년'으로 표기하면 안 됩니다.
老(늙을 로) ······ 老人(노인) *'로인'으로 표기하면 안 됩니다.

◉ 'ㄹ'이 'ㅇ'으로 변하는 경우

六(여섯 륙) ······ 六十(육십) *'륙십'으로 표기하면 안 됩니다.
林(수풀 림) ······ 林業(임업) *'림업'으로 표기하면 안 됩니다.
立(설 립) ········· 立身(입신) *'립신'으로 표기하면 안 됩니다.
里(마을 리) ······ 里長(이장) *'리장'으로 표기하면 안 됩니다.
力(힘 력) ········· 力士(역사) *'력사'로 표기하면 안 됩니다.

◉ 'ㄴ'이 중모음 앞에서 'ㅇ'으로 변하는 경우

女(계집 녀) ······ 女子(여자) *'녀자'로 표기하면 안 됩니다.
年(해 년) ········· 年少(연소) *'년소'로 표기하면 안 됩니다.

### 기타

十(열 십) ········ 九十月(구시월) *'구십월'로 읽으면 안 됩니다.
六(여섯 륙) ······ 六月(유월) *'육월'로 읽으면 안 됩니다.
數(셈 수) ········ 數字(숫자) *'수자'로 읽으면 안 됩니다.

# 자전 활용법

## 자전이란?

한자를 모아 일정한 순서로 배열하여 한자의 음(音)·훈(訓)·자원(字源) 따위를 해설한 책을 말합니다. 옥편(玉篇)이라고도 합니다.

## 자전에서 한자 찾는 방법

### 1. 부수로 찾기

(1) 찾을 한자의 부수를 알아봅니다.
(2) 자전에서 '부수별로 한자를 모아 놓은 표'를 보고, 찾을 한자의 부수가 몇 쪽에 있는지 알아냅니다.
(3) 알아낸 쪽을 펼친 후, 총획수에서 부수의 획수를 뺀 나머지 획수를 구합니다.
(4) 구한 획수가 쓰여져 있는 쪽을 보면 찾는 한자의 음과 뜻을 알 수 있습니다.

(예) '住'를 부수로 찾기

① 住의 부수는 亻
② 亻은 2획이므로, '부수별로 한자를 모아 놓은 표'의 2획에서 亻을 찾아, 그 자의 쪽수를 알아냅니다.
③ 住는 총 7획, 亻은 2획이므로 그 차는 5획
④ 5획이라고 쓰여져 있는 쪽을 보면, 住(살 주)

### 2. 총획수로 찾기

(1) 찾을 한자의 총획수를 세어 봅니다.
(2) 자전에서 '한자의 획수에 따라 한자를 모아 놓은 곳'을 찾아 획수가 쓰여져 있는 부분을 보고, 찾을 한자 밑에 있는 쪽수를 알아냅니다.
(3) 알아낸 쪽을 펼치면, 찾으려고 했던 한자의 음과 뜻을 알 수 있습니다.

### 3. 음으로 찾기

(1) 자전에서 '같은 음으로 읽혀지는 한자를 모아 놓은 곳'을 봅니다.
(2) 그 곳에서 찾을 한자를 찾아, 그 한자가 몇 쪽에 있는지 알아냅니다.
(3) 알아낸 쪽을 펼치면, 그 한자의 음과 뜻을 알 수 있습니다.

## 우리 가족 이름 쓰기

동그라미 부분에 우리 가족의 사진을 붙인 뒤 한자로 이름을 써 보세요.

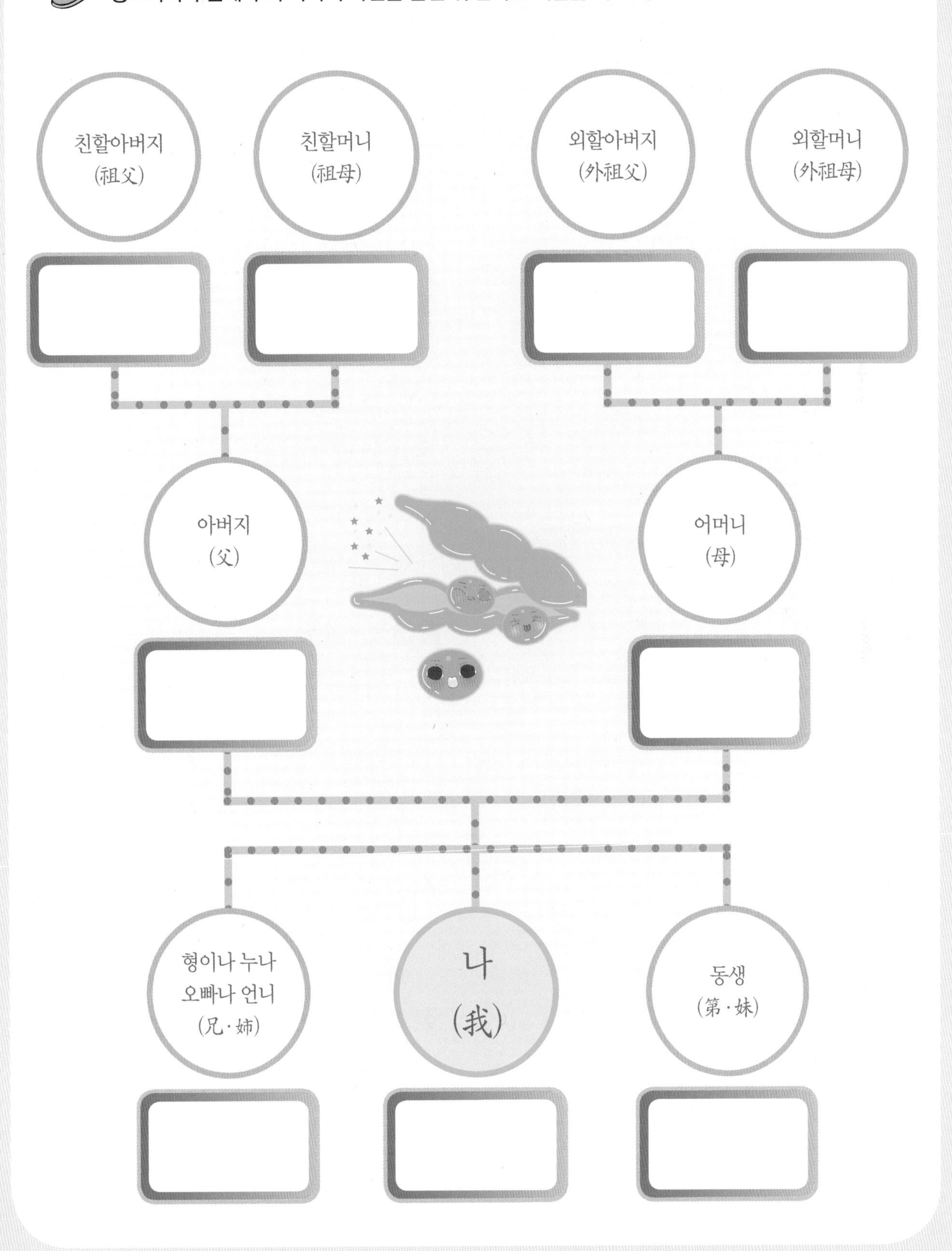

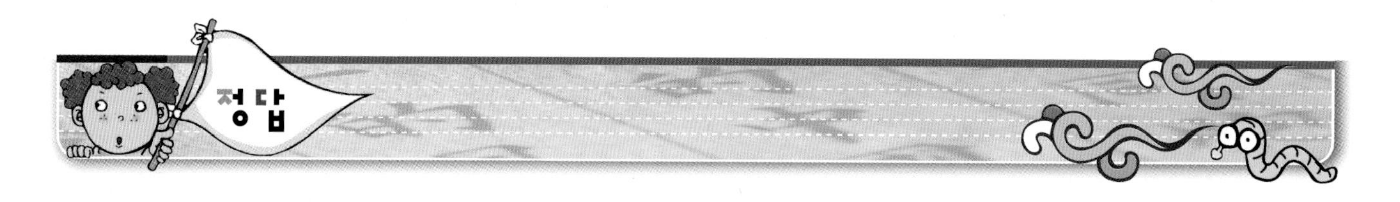


확인 학습 문제

## 01 과

21~22쪽

1. (1) 하늘 천 (2) 땅 지 (3) 봄 춘 (4) 여름 하
(5) 가을 추 (6) 겨울 동 (7) 동녘 동 (8) 서녘 서
(9) 남녘 남 (10) 북녘 북/ 달아날 배
(11) 날 일 (12) 달 월 (13) 해 년 (14) 낮 오
(15) 인간 세

2. (1) 천하 (2) 지명 (3) 청춘 (4) 하의
(5) 추강 (6) 삼동 (7) 동문 (8) 서해
(9) 남문 (10) 북한 (11) 일기 (12) 월색
(13) 연상 (14) 정오 (15) 이세

3. (1) 땅의 이름, 지방·지역 이름
(2) 여름철에 입는 옷
(3) 매일 적은 개인의 기록

4. (1) ㉢ (2) ㉥ (3) ㉡ (4) ㉧
(5) ㉠ (6) ㉣ (7) ㉤ (8) ㉦

5. (1) ㉡ (2) ㉣ (3) ㉠ (4) ㉢

6. (1) ㉢ (2) ㉡ (3) ㉣ (4) ㉠

## 02 과

31~32쪽

1. (1) 메 산 (2) 내 천 (3) 풀 초 (4) 나무 목
(5) 강 강 (6) 바다 해 (7) 물 수 (8) 불 화
(9) 저녁 석 (10) 농사 농 (11) 수풀 림 (12) 꽃 화
(13) 심을 식 (14) 흙 토 (15) 쇠 금/ 성 김

2. (1) 식목 (2) 토지 (3) 금석 (4) 산림
(5) 생화 (6) 칠석 (7) 농토 (8) 수평
(9) 화력 (10) 강산 (11) 해녀 (12) 목수
(13) 초식 (14) 대천 (15) 남산

3. (1) 산에 오름
(2) 풀과 나무
(3) 농업이 주된 생업인 마을

4. (1) 등산 (2) 초식 (3) 동해 (4) 화산
(5) 추석 (6) 산림 (7) 식목일 (8) 금석

5. (1) ㉠ (2) ㉡ (3) ㉢

6. (1) ㉠ (2) ㉢ (3) ㉡

## 03 과

41~42쪽

1. (1) 사람 인 (2) 입 구 (3) 낯 면 (4) 스스로 자
(5) 손 수 (6) 발 족 (7) 마디 촌 (8) 마음 심
(9) 힘 력 (10) 설 립 (11) 늙을 로 (12) 백성 민
(13) 매양 매 (14) 빌 공 (15) 사이 간

2. (1) 인간 (2) 입구 (3) 수면 (4) 자력
(5) 수중 (6) 자족 (7) 삼촌 (8) 심중
(9) 동력 (10) 중립 (11) 노인 (12) 농민
(13) 매년 (14) 공군 (15) 간식

3. (1) 손 안 (2) 자기 혼자의 힘
(3) 끼니 외에 먹는 음식

4. (1) ㉣ (2) ㉤ (3) ㉡ (4) ㉥
(5) ㉠ (6) ㉦ (7) ㉢ (8) ㉧

5. (1) ㉢ (2) ㉤ (3) ㉣ (4) ㉠
(5) ㉡

6. (1) ㉢ (2) ㉣ (3) ㉠ (4) ㉡

## 04 과

51~52쪽

1. (1) 할아비 조 (2) 아비/아버지 부
(3) 어미/어머니 모 (4) 사내 남 (5) 계집 녀
(6) 형/맏 형 (7) 아우 제 (8) 효도 효 (9) 아들 자
(10) 성 성 (11) 사나이/지아비 부
(12) 긴/어른 장 (13) 주인 주 (14) 살 주
(15) 온전 전

2. (1) 조상 (2) 부자 (3) 모녀 (4) 장남
(5) 여왕 (6) 형부 (7) 제자 (8) 효심
(9) 천자 (10) 백성 (11) 부인 (12) 장녀
(13) 주식 (14) 주민 (15) 전력

3. (1) 있는 모든 힘 (2) 같은 성씨
(3) 맏아들

4. (1) 선조 (2) 부자 (3) 모교 (4) 여왕
(5) 형부 (6) 제자 (7) 효도 (8) 소장
(9) 주식 (10) 전국

5. (1) ㉡ (2) ㉣ (3) ㉠ (4) ㉢

6. (1) ㉢ (2) ㉡ (3) ㉠

## 05 과

61~62쪽

1. (1) 나라 국 (2) 집 가 (3) 골 동/ 밝을 통
(4) 마을 리 (5) 마을 촌 (6) 고을 읍
(7) 한국/나라 한 (8) 한수/한나라 한
(9) 집/방 실 (10) 문 문 (11) 마당 장 (12) 바 소
(13) 편안 안 (14) 군사 군 (15) 임금 왕

2. (1) 국가 (2) 가장 (3) 동장 (4) 천리
(5) 북촌 (6) 읍민 (7) 한식 (8) 한자
(9) 실내 (10) 문전 (11) 장면 (12) 주소
(13) 안전 (14) 군인 (15) 왕국

3. (1) 마음을 편히 가짐 (2) 방 안, 집 안
(3) 집안의 어른

4. (1) ㉢ (2) ㉠ (3) ㉤ (4) ㉦
(5) ㉡ (6) ㉣ (7) ㉥ (8) ㉧
(9) ㉨ (10) ㉩

5. (1) ㉠ (2) ㉡ (3) ㉢

6. (1) ㉡ (2) ㉢ (3) ㉠

## 06 과

71~72쪽

1. (1) 앞 전 (2) 뒤 후 (3) 왼(쪽) 좌
(4) 오른(쪽) 우 (5) 안 내 (6) 바깥 외
(7) 윗 상 (8) 가운데 중 (9) 아래 하
(10) 날 출 (11) 들 입 (12) 큰 대 (13) 작을 소
(14) 평평할 평 (15) 모 방

2. (1) 전생 (2) 식후 (3) 좌방 (4) 우편
(5) 내심 (6) 외출 (7) 해상 (8) 중간
(9) 하교 (10) 출생 (11) 입장 (12) 대문
(13) 소국 (14) 평생 (15) 사방

3. (1) 세상에 태어남 (2) 밖으로 일보러 나감
(3) 밥을 먹은 뒤

4. (1) 전생 (2) 식후 (3) 전후좌우 (4) 내외
(5) 해상 (6) 중간 (7) 입장 (8) 평면
(9) 방면

5. (1) ㉣ (2) ㉠ (3) ㉡ (4) ㉢

6. (1) ㉡ (2) ㉢ (3) ㉠

## 07 과

81~82쪽

1. (1) 가르칠 교 (2) 기를 육 (3) 배울 학 (4) 학교 교
(5) 먼저 선 (6) 날 생 (7) 글월 문 (8) 글자 자
(9) 곧을 직 (10) 장인 공 (11) 기록할 기
(12) 길/말할 도 (13) 푸를 청 (14) 적을 소
(15) 때 시

2. (1) 교실 (2) 생육 (3) 학교 (4) 교문
(5) 선수 (6) 생일 (7) 문인 (8) 국자
(9) 직립 (10) 공사 (11) 수기 (12) 수도
(13) 청산 (14) 소년 (15) 매시

3. (1) 푸른 산
(2) 똑바로 섬
(3) 태어난 날

4. (1) ㉤ (2) ㉠ (3) ㉦ (4) ㉢
(5) ㉣ (6) ㉡ (7) ㉩ (8) ㉧
(9) ㉨ (10) ㉥

5. (1) ㉠ (2) ㉡ (3) ㉢

6. (1) ㉠ (2) ㉢ (3) ㉡

## 08 과

91~92쪽

1. (1) 두 이 (2) 한 일 (3) 석 삼 (4) 넉 사
(5) 여섯 륙 (6) 다섯 오 (7) 일곱 칠 (8) 열 십
(9) 아홉 구 (10) 여덟 팔 (11) 일백 백 (12) 일천 천
(13) 일만 만 (14) 셈 산 (15) 셈 수/ 자주 삭

2. (1) 숫자 (2) 산출 (3) 만사 (4) 백년
(5) 천추 (6) 십자 (7) 구추 (8) 팔도
(9) 칠석 (10) 오음 (11) 육일 (12) 사면
(13) 삼세 (14) 일가 (15) 이중

3. (1) 한 집안, 한 가족
(2) 온갖 꽃
(3) 모든 일

4. (1) 수학 (2) 만사 (3) 동일 (4) 사촌
(5) 삼국 (6) 칠팔월 (7) 십자 (8) 천금

■ 확인 학습 문제

## 09 과

101~102쪽

**1** (1) 물을 문 (2) 대답 답 (3) 번개 전 (4) 말씀 화
(5) 말씀 어 (6) 노래 가 (7) 이름 명 (8) 목숨 명
(9) 흰 백 (10) 저자 시 (11) 편할 편/ 똥오줌 변
(12) 종이 지 (13) 밥/먹을 식 (14) 그럴 연
(15) 물건 물

**2** (1) 문답 (2) 정답 (3) 전기 (4) 전화
(5) 어학 (6) 교가 (7) 명문 (8) 생명
(9) 백금 (10) 시내 (11) 편안 (12) 지면
(13) 외식 (14) 자연 (15) 사물

**3** (1) 식용으로 쓰는 물
(2) 옳은 답, 맞는 답
(3) 일이나 물건

**4** (1) ㉣ (2) ㉢ (3) ㉡ (4) ㉠
(5) ㉦ (6) ㉤ (7) ㉥ (8) ㉨
(9) ㉩ (10) ㉧

**5** (1) ㉣ (2) ㉡ (3) ㉢

**6** (1) ㉢ (2) ㉡ (3) ㉠

## 10 과

111~112쪽

**1** (1) 살 활 (2) 움직일 동 (3) 기운 기
(4) 빛 색 (5) 올 래 (6) 수레 거/ 수레 차
(7) 기/깃발 기 (8) 한가지 동
(9) 무거울/거듭 중 (10) 있을 유
(11) 일/섬길 사 (12) 쉴 휴
(13) 아닐 불/ 아닐 부 (14) 바를 정 (15) 오를 등

**2** (1) 등장 (2) 정직 (3) 불편 (4) 휴교
(5) 사전 (6) 소유 (7) 중대 (8) 동문
(9) 국기 (10) 차도 (11) 내일 (12) 색지
(13) 기력 (14) 동물 (15) 생활

**3** (1) 색종이
(2) 학교에 감
(3) 제 힘으로 움직임

**4** (1) 생활 (2) 자동 (3) 기력 (4) 백색
(5) 차도 (6) 국기 (7) 동생 (8) 중대
(9) 대사 (10) 휴교 (11) 부정 (12) 등교

**5** (1) ㉢ (2) ㉣ (3) ㉠ (4) ㉡
(5) ㉦ (6) ㉧ (7) ㉤ (8) ㉥

## 11 과

121쪽

**1** (1) 개 견 (2) 말 마 (3) 소 우 (4) 양 양
(5) 물고기 어 (6) 몸 기 (7) 구슬 옥 (8) 돌 석
(9) 귀 이 (10) 눈 목

**2** (1) 계산 (2) 배열 (3) 시간 (4) 원
(5) 질문 (6) 변 (7) 시계 (8) 자세
(9) 체육 (10) 교실 (11) 부호 (12) 식
(13) 자연 (14) 체험 (15) 규칙 (16) 분명
(17) 신호 (18) 장면 (19) 학년 (20) 모형
(21) 삼각형 (22) 실감 (23) 정리 (24) 문법
(25) 상상 (26) 안전 (27) 정직 (28) 환경
(29) 민속 (30) 역할 (31) 정확 (32) 활동
(33) 발음 (34) 선심 (35) 오전 (36) 준비
(37) 방법 (38) 시 (39) 오후 (40) 중요

## 제 1 회

(1) 휴지 (2) 편안 (3) 하수 (4) 평면 (5) 읍내 (6) 춘추
(7) 초가 (8) 전교 (9) 자연 (10) 조부 (11) 동력 (12) 역도
(13) 부정 (14) 숫자 (15) 명문 (16) 식목 (17) 소년 (18) 부인
(19) 동지 (20) 농촌 (21) 노년 (22) 간식 (23) 동색 (24) 내일
(25) 명중 (26) 시간 (27) 등교 (28) 심중 (29) 육림 (30) 자모
(31) 주소 (32) 출동 (33) 성 성 (34) 물을 문 (35) 모 방 (36) 빌 공
(37) 마을 리 (38) 저녁 석 (39) 노래 가 (40) 일/섬길 사 (41) 쉴 휴 (42) 발 족
(43) 곧을 직 (44) 낮 오 (45) 편안 안 (46) 날 출 (47) 마당 장 (48) 여름 하
(49) 일백 백 (50) 강 강 (51) 따/땅 지 (52) 풀과 나무 (53) 제 힘으로 움직임
(54) ② (55) ④ (56) ① (57) ⑤ (58) ⑩ (59) ③
(60) ⑧ (61) ⑦ (62) ⑥ (63) ⑨ (64) ④ (65) ③
(66) ② (67) ④ (68) ① (69) ㉣ (70) 두 번째

## 제 2 회

(1) 한국 (2) 공백 (3) 기명 (4) 도장 (5) 물색 (6) 오후
(7) 시장 (8) 매사 (9) 면전 (10) 수화 (11) 입학 (12) 전기
(13) 자족 (14) 입지 (15) 출생 (16) 조상 (17) 해녀 (18) 효자
(19) 활력 (20) 추색 (21) 입금 (22) 촌부 (23) 천연 (24) 읍민
(25) 소중 (26) 백만 (27) 문자 (28) 문안 (29) 백화 (30) 등산
(31) 강남 (32) 외가 (33) 기/깃발 기 (34) 셈 산 (35) 늙을 로 (36) 수풀 림
(37) 풀 초 (38) 가을 추 (39) 말씀 어 (40) 심을 식 (41) 살 활 (42) 농사 농
(43) 사나이/지아비 부 (44) 장인 공 (45) 적을 소 (46) 겨울 동 (47) 앞 전
(48) 기를 육 (49) 일천 천 (50) 주인 주 (51) 힘 력 (52) 땅 위
(53) 있는 모든 힘 (54) ⑧ (55) ② (56) ⑨ (57) ④
(58) ⑥ (59) ⑦ (60) ⑤ (61) ① (62) ⑩ (63) ③
(64) ③ (65) ④ (66) ① (67) ① (68) ④ (69) ㉣
(70) 세 번째

## 제 3 회

(1) 휴교 (2) 하오 (3) 활기 (4) 차편 (5) 직전 (6) 전생
(7) 소장 (8) 입교 (9) 산수 (10) 등기 (11) 불안 (12) 심기
(13) 동리 (14) 구화 (15) 공군 (16) 내외 (17) 가수 (18) 공부
(19) 농토 (20) 동문 (21) 성명 (22) 문물 (23) 색지 (24) 입국
(25) 정직 (26) 지방 (27) 촌민 (28) 초식 (29) 조모 (30) 하명
(31) 후세 (32) 평안 (33) 봄 춘 (34) 내 천 (35) 살 주 (36) 있을 유
(37) 바다 해 (38) 때 시 (39) 인간 세 (40) 셈 수/ 자주 삭 (41) 오를 등
(42) 골 동/ 밝을 통 (43) 매양 매 (44) 집 가 (45) 글월 문 (46) 윗 상
(47) 힘 력 (48) 이름 명 (49) 말씀 화 (50) 들 입 (51) 할아비 조 (52) 같은 색
(53) 마음 속 (54) ⑥ (55) ⑦ (56) ② (57) ① (58) ③
(59) ⑤ (60) ⑨ (61) ④ (62) ⑩ (63) ⑧ (64) ②
(65) ① (66) ③ (67) ④ (68) ① (69) ㉯ (70) 여섯 번째

## 제 4 회

(1) 농지 (2) 내세 (3) 남편 (4) 가장 (5) 강촌 (6) 공동
(7) 기도 (8) 기수 (9) 동시 (10) 동물 (11) 등장 (12) 면수
(13) 문학 (14) 문답 (15) 부족 (16) 세자 (17) 시도 (18) 식구
(19) 유명 (20) 안전 (21) 입실 (22) 입하 (23) 전력 (24) 정자
(25) 조국 (26) 주민 (27) 천년 (28) 초지 (29) 휴학 (30) 후기
(31) 해군 (32) 활동 (33) 번개 전 (34) 아들 자 (35) 오른(쪽) 우 (36) 마음 심
(37) 무거울/거듭 중 (38) 종이 지 (39) 편할 편/ 똥오줌 변 (40) 아래 하
(41) 손 수 (42) 아닐 불/ 아닐 부 (43) 낯 면 (44) 설 립 (45) 한가지 동
(46) 사내 남 (47) 대답 답 (48) 안 내 (49) 기록할 기 (50) 움직일 동 (51) 입 구
(52) 손 안 (53) 바다 위 (54) ⑧ (55) ② (56) ① (57) ③
(58) ⑤ (59) ④ (60) ⑦ (61) ⑩ (62) ⑥ (63) ⑨
(64) ① (65) ⑤ (66) ③ (67) ④ (68) ① (69) ㉯
(70) 다섯 번째

# 7급 배정 한자 색인

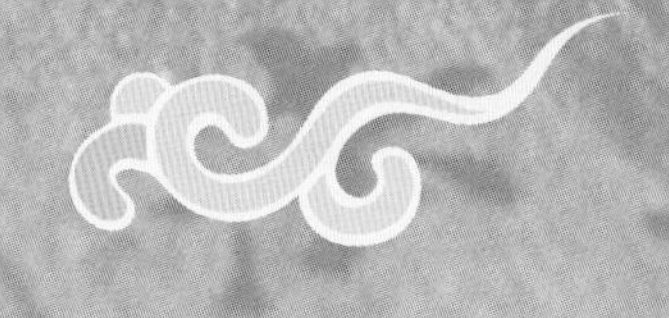

# 7급 고유 한자 카드

| | | | |
|---|---|---|---|
| 歌<br>노래 가 | 家<br>집 가 | 間<br>사이 간 | 江<br>강 강 |
| 車<br>수레 거 | 空<br>빌 공 | 工<br>장인 공 | 口<br>입 구 |
| 旗<br>기 기 | 記<br>기록할 기 | 犬<br>개 견 | 馬<br>말 마 |
| 牛<br>소 우 | 羊<br>양 양 | 魚<br>물고기 어 | |

| | | | |
|---|---|---|---|
| 氣 기운 기 | 男 사내 남 | 內 안 내 | 農 농사 농 |
| 答 대답 답 | 道 길 도 | 冬 겨울 동 | 洞 골 동 |
| 玉 구슬 옥 | 己 몸 기 | 動 움직일 동 | 同 한가지 동 |
| | 目 눈 목 | 耳 귀 이 | 石 돌 석 |

| 登 | 來 | 力 | 老 |
| --- | --- | --- | --- |
| 오를 등 | 올 래 | 힘 력 | 늙을 로 |
| 里 | 林 | 立 | 每 |
| 마을 리 | 수풀 림 | 설 립 | 매양 매 |
| 面 | 命 | 名 | 文 |
| 낯 면 | 목숨 명 | 이름 명 | 글월 문 |
| 問 | 物 | 方 | 百 |
| 물을 문 | 물건 물 | 모 방 | 일백 백 |
| 夫 | 不 | 事 | 算 |
| 사나이/지아비 부 | 아니 불 | 일 사 | 셈 산 |

| 上<br>윗 상 | 色<br>빛 색 | 夕<br>저녁 석 | 姓<br>성 성 |
|---|---|---|---|
| 世<br>인간 세 | 所<br>바 소 | 少<br>적을 소 | 數<br>셈 수 |
| 手<br>손 수 | 時<br>때 시 | 市<br>저자 시 | 食<br>밥 식 |
| 植<br>심을 식 | 心<br>마음 심 | 安<br>편안 안 | 語<br>말씀 어 |
| 然<br>그럴 연 | 午<br>낮 오 | 右<br>오른 우 | 有<br>있을 유 |

育 기를 육

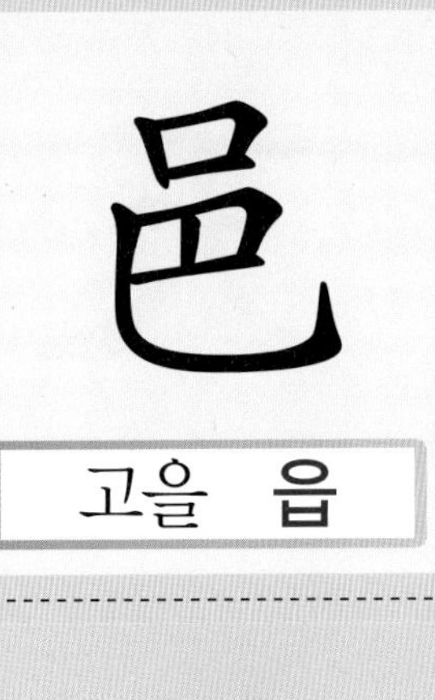

邑 고을 읍

入 들 입

字 글자 자

自 스스로 자

子 아들 자

場 마당 장

電 번개 전

前 앞 전

全 온전 전

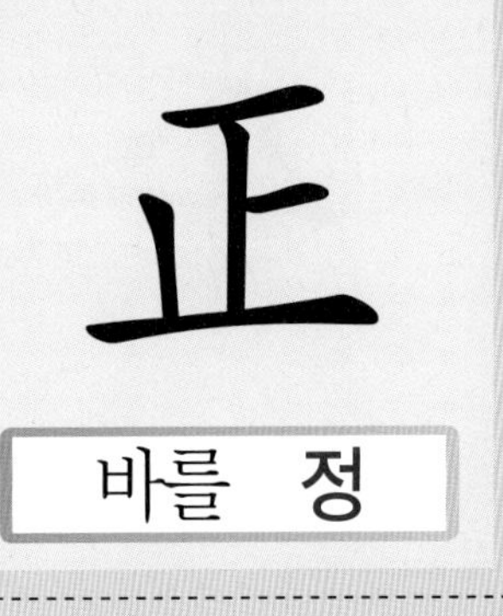

正 바를 정

祖 할아비 조

足 발 족

左 왼 좌

住 살 주

主 주인 주

重 무거울 중

地 땅 지

紙 종이 지

直 곧을 직

| | | | |
|---|---|---|---|
| 川<br>내 천 | 千<br>일천 천 | 天<br>하늘 천 | 草<br>풀 초 |
| 村<br>마을 촌 | 秋<br>가을 추 | 春<br>봄 춘 | 出<br>날 출 |
| 便<br>편할 편 | 平<br>평평할 평 | 下<br>아래 하 | 夏<br>여름 하 |
| 漢<br>한수 한 | 海<br>바다 해 | 花<br>꽃 화 | 話<br>말씀 화 |
| 活<br>살 활 | 孝<br>효도 효 | 後<br>뒤 후 | 休<br>쉴 휴 |

travel

travel

국가공인 한자능력검정시험 7급

펴 낸 곳 어시스트하모니(주)
펴 낸 이 이정균
등록번호 제2019-000078호
주 소 서울시 영등포구 선유로 170, 동양빌딩 301호
구입문의 02)2088-4242
팩 스 02)6442-8714
I S B N 979-11-969104-6-4 63710